YOUTH 经典译丛 09
人猿泰山

真假泰山
Tarzan and the Golden Lion

[美] 埃德加·伯勒斯 / 著
毕可生 孙亚英 / 译

中国青年出版社

（京）新登字083号

图书在版编目（CIP）数据

真假泰山／（美）伯勒斯（Burroughs, E. R.）著；毕可生，孙亚英译.—北京：中国青年出版社，2013.7
（人猿泰山系列）
书名原文：Tarzan and the Golden Lion
ISBN 978-7-5153-1819-6

Ⅰ.①真… Ⅱ.①伯…②毕…③孙… Ⅲ.①儿童文学—长篇小说—美国—现代 Ⅳ.①I712.84

中国版本图书馆CIP数据核字（2013）第172845号

责任编辑：杜惠玲　谢肇文
封面设计：瞿中华

出版发行：中国青年出版社
社　　址：北京东四十二条21号
邮　　编：100708
网　　址：www.cyp.com.cn
编辑电话：010-57350504
门市电话：010-57350370
印　　刷：三河市君旺印务有限公司
经　　销：新华书店

开　　本：620×920　1/16
印　　张：16.5
插　　页：1
字　　数：170千字
版　　次：2015年5月北京第1版
印　　次：2015年5月河北第1次印刷
定　　价：22.00元

本图书如有印装质量问题，请凭购书发票与质检部联系调换
联系电话：010-57350337

猿语(泰山的母语)——中文对照表

动　物

巴拉——鹿

勃勒冈尼——大猩猩

布吐——犀牛

旦格——鬣狗

杜罗——河马

戈格——水牛

豪尔塔——野猪

吉姆拉——鳄鱼

库图——老鹰

努玛——雄狮

派可——斑马

盘巴——老鼠

沙保——母狮

吞特——大象

希斯塔——蛇

希塔——花斑豹

(　　　　)——(　　　　)
(　　　　)——(　　　　)

自　然

戈罗——月亮

库都——太阳

(　　　　)——(　　　　)
(　　　　)——(　　　　)

人

戈曼更——黑人

塔曼戈——白人

(　　　　)——(　　　　)
(　　　　)——(　　　　)

你还能找出多少来呢?

目　录

一	幼狮丧母	001
二	扎得巴尔查	015
三	地下会议	023
四	脚印的意义	036
五	决定命运的一口	048
六	死亡悄然而至	061
七	"你必须牺牲他"	073
八	奇怪的土人	085
九	死亡之箭	99
十	窝里斗	110
十一	狮子称王	127
十二	埃斯特本的诡计	140
十三	平顶塔	152
十四	一场鏖战	165
十五	陆美尼的阴谋	178
十六	钻石洞窟	187
十七	真假难辨	202

十八	追踪仇敌	213
十九	自相残杀	224
二十	水落石出	236
二十一	假泰山的命运	249

一
幼狮丧母

丛林里的沙保(猿语,母狮)最近有了喜事,它在做窝的石窟里,生下了三只小宝宝——两个女儿和一个儿子。这三个小东西毛茸茸的,常缩作一团,它们身上有斑点,有点像豹。母狮感到非常高兴,也非常幸福,常常给它的孩子们哺乳。

这一天,它在石窟前晒着暖和的太阳,半闭着眼睛,装出一副对什么都不在意的样子,其实它十分地警觉。凡是做了母亲的动物,似乎都有这种保护幼崽的本能。它在等着做了父亲的努玛(猿语,雄狮)打猎回来,它知道雄狮也为有了孩子而感到骄傲,希望雄狮带着快乐,多猎取些食物回来。最近一段时间,雄狮狩猎的成绩一直不好,母狮的营养不足,以致乳汁不够三个狼吞虎咽的小东西吃。母狮妈妈常为此烦恼。

但情况并没有好转,寒冷的雨季来了,三个小东西又冷又饿,都生了病。母狮望着孩子,束手无策。最后,只有那一个比较健壮的儿子侥幸存活下来,两个女儿都死去了。母狮非常悲痛,它围着那两个沾满泥污的小东西转来转去,呜呜地悲鸣着,不断地用鼻子嗅着它们,好像还希望能把它们唤醒。直到最后,它知道无望了,才放弃了这个举动。在这个母亲心里,现在只能一心一意保护这仅存的宝贝儿子了。因此，它的警惕性比平常更高了。

雄狮经常在外面狩猎，前两夜，它曾把一个不大的猎物拖回窝里来，早已吃光。昨夜，它又出去了，到现在还没有回来。母狮在半睡眠状态中，编织着它的美梦，它希望再过一小会儿，丈夫也许会拖着一只肥肥的羚羊回来，从那枝蔓缠绕的丛林中，回到它这个石窟里来。如果没有羚羊，那么斑马也好啊！这两种猎物，对它们来说，都称得上美食，汁肉丰满，还有一层最可口的脂肪。多么好吃的美餐啊！想着想着，它的口水几乎都要滴下来了。

啊！这是什么？它忽然聚精会神起来，有一阵轻微的声音，送到了它敏锐的听觉里。它抬起头，竖起耳朵，倾听着那惊扰了它的声音。边听边用鼻子嗅着，希望能辨别出那声音到底是什么。那声音像微风一样，在慢慢增强，它凭听觉判断出，那东西越来越近了。当那东西一靠近石窟，它马上浑身紧张起来，不顾儿子还在吃奶，猛地一下站了起来。小狮子只感到嘴里的奶头突然被夺走了，不满地呜呜低声吼叫不止，直到母狮对它低声咆哮了一声，它才不敢再出声。它站在母狮身边，莫名其妙地抬头望望母亲。见母狮目光炯炯地望着洞外，它也顺着母亲的目光看去。但是，它什么也没看见，只把小脑袋向左边歪歪，又向右边歪歪。

母狮从经验判断，自己听到的声音，分明是一种威胁的预告，虽然它不能确定将会发生什么事，但它清楚地预感到，不会是什么好事，到底是吉是凶，此时它还判断不出来。是不是雄狮回来了？这声音不像雄狮走路的声音，更不像是丈夫拖着重重的猎物回来的声音。它回头望望身边的儿子，发出了警告的声音，似乎在告诉它不要出声,洞外有危险了。它的窝里,只剩下这一个孩子了,当母亲的,能不加意保护它吗?

渐渐地,那发出声音东西的气味,顺着微风,从丛林那边向母狮这里吹来了。这头被惊扰的母狮,脸上变得凶猛狰狞起来,它已经辨别出来了,这是人类的气味。它立即站了起来,头向前平伸,用力甩动着它的尾巴。它用兽类特有的传递信息方式,告诉它的孩子,叫它安静地蹲下,不要出声,一直等到自己回来。于是,它一声不响地放开脚步,去迎战入侵者了。

这时,那头幼狮也听到刚才母亲听到的声音了,同时也嗅到了一种气味,这种气味它还是第一次嗅到,它并不熟悉,更不知道这就是人类的气味。它也学着母亲的样子,竖起背上的鬃毛,张牙舞爪起来。当母狮走进矮树丛的时候,它并不知道儿子没听它的吩咐,竟尾随在后。幼狮走路摇摇摆摆,完全不像母亲雄赳赳的样子。母狮只管往前走,根本没顾到幼狮在它身后也跟了过来。

石窟前面有一条狭窄的小路,可供狮子穿过茂盛的草丛,走到百码之外的丛林里去。在丛林里,有一块小小的方形的空场,小路也正好通过这块空地。当母狮走到空地上的时候,它果然看见了它又憎恶又害怕的东西,一个猎人!若是在平时,没有孩子需要它保护的时候,它也许会远远避开,让自己和猎人都安然过去。可是今天不同,它只剩下这一个孩子,决不能让任何东西伤害自己唯一的宝贝,这时它心里满装着儿子的安危,所以胆量也比平时壮了几倍。它没等猎人来侵害它的孩子,就猛地一下扑上去了。这个平时温柔慈爱的母亲,现在变成一头拼命的猛兽,它的脑子里只有一个念头——杀死猎人！保护儿子！

母狮没在空场上停留，也没有发出任何声音，像一支飞出去的箭一样，直向站在空场上的那个黑武士扑去。那黑武士早就听说过，在这方圆二十里有两头可怕的狮子，可是没有想到，今天这头狮子就意外地出现在面前。黑武士这次并不是存心来猎狮的，如果知道附近有狮子，他一定会避开，绕路而行。他惶急中看了看周围的树，哪一棵都比狮子还远，看来打算爬树是不行了，他跑不到四分之一的路，狮子就会扑着他了。这时他才看见，在母狮的背后还有一只幼狮，他顿时明白了母狮如此凶猛的原因。他想，躲避是来不及了，只有硬拼一下。他手里握着一支沉重的长矛，他高高地举起长矛，向后退了几步，当母狮不顾一切张开大口向他扑上来时，他用尽平生之力，把长矛刺进了母狮的胸口。这一矛真够狠的，一直刺到了母狮的心脏。那母狮惨叫一声，滚倒在地上，它那坚实的肌肉，抽搐了几下，就再也不动了。

那头幼狮，站在二十尺之外，圆睁着两只小眼睛，看着它有生以来遇到的第一次大灾难。然而，它并不明白这个灾难对它意味着什么。它想往母亲身边走，可是看到母亲身边还站着一个生物，它不知道这个生物叫什么，刚才它闻到的气味就是从这个生物身上发出来的。这个生物使它害怕，它不敢再往前走了。它发出呜呜的类似撒娇的声音，若在往常，它母亲一听到这种声音，照例会马上走到它身边来，可是这次，它不明白是怎么了，母亲竟仿佛没有听见一样，不但没过来，甚至连动都没动，头都没有回一下。小狮子越想越不明白，陡然之间，它感到格外的孤单和悲哀，恨不得大哭一场。它小心翼翼地，试着步走到它母亲跟前，再抬头看看杀它母亲的奇怪生物，没作出什么反应。它停了一下，心里觉得那东西也不见得有那么可怕，于是它鼓起勇气，很快地走到母狮身边，用小鼻子嗅嗅躺着不动的母亲，它又叫了几声，见母亲始终没有回答，最后，它开始觉得情况有点不妙了。眼前的事实是，它过去一贯依赖的慈爱的母亲，变得和从前不一样了，它好像变得不再像它的母亲了。小狮紧紧贴在母狮身上，发出呜呜的哭一样的声音。叫着叫着，它似乎累了，就在母亲的身边睡着了，它的小嘴还紧贴着母狮的奶头。

当泰山出现在这个地方的时候，见到的就是这幅景象。

原来泰山和琴恩带着儿子杰克，正从神秘的帕鹿顿回来，在那个地方，泰山和杰克刚刚把琴恩救回来。他们的脚步声，惊醒了那只幼狮，它睁开眼，站起身来，看见又有三个和刚才一样的生物站在那里，它又急又怕，挓着两只耳朵，对他们怒吼起来，同时它还紧紧依傍着死去的母亲，不肯离开半步。泰山看了这情形，心里又是怜悯，又觉得小狮子的发威非常好笑。他不觉称赞道："好勇敢的小东西呀！"他一眼就看出这整个悲剧的内容。他立即走到摆出一副发威架势的小狮子身边，他以为它会跑开，没想到小狮子并不逃跑，反而怒吼得更厉害了。当泰山想去把它抱起来时，差一点让它咬着手。泰山想，这小狮子分明还没断奶，生下来似乎没有多少时间，可胆量并不小。

琴恩也不觉脱口赞叹道："这小东西已经成了孤儿，可它倒还真勇敢！"

杰克看了看说："如果它母亲不死，它很快会长成一头大狮子。看它的背脊，又直又健壮，是一头好狮子。可惜呀！母亲一死，

"如果它母亲不死,它很快会长成一头大狮子。"

它也活不久了。"

泰山说:"它不见得非死不可。"

杰克不解地说:"难道还有什么别的希望吗?它起码还要吃几个月的奶,谁能给它去找狮子奶呢?"

泰山说:"我去找!"

杰克问道:"难道爸爸要收养它吗?"

泰山点点头。

琴恩和杰克一听这话,都笑起来了,杰克高兴地说:"那可就太好了。"

琴恩也笑着说:"格雷斯托克爵士现在要做小狮子的养母了!"

泰山听他们母子说笑,自己也跟着笑起来,但他的目光始终注视着幼狮,没有离开过。他弯下腰,抓起幼狮的脖子,又拍拍它的背,用一种轻轻的、咿咿呜呜的声音,好像是在对小狮子说话。杰克和琴恩虽然听不懂他在和幼狮说什么,但小狮子好像明白了,它立刻不再挣扎,不再怒吼,也不再打算去咬泰山的手了。后来,泰山索性把它抱起来,把它搂在自己怀里。这时候,那小狮子好像十分放心了,不再张牙舞爪,对于先前使它恐惧的那种人的气味,似乎也觉得不那么害怕了。

琴恩感到非常奇怪地说:"你是怎么对付它的?它怎么一下子就驯顺起来了?"

泰山耸了耸肩说:"这里边没有什么秘诀,就好像人类见了人类,并不害怕一样,这是同样的道理。这头小狮子,已经把我当作同类了,我刚才跟它说话,对它作出友好的表示,慢慢地,它对我就不那么戒备了。这个小东西，别看它只有这一点儿大，它也懂得这个道理的。你们看，不是吗？"

杰克说："爸爸！我可没能掌握这一套办法。我认为，我对付非洲野兽的能力，并不比你差，可我没有管好野兽的办法，这是什么原因呢？是不是因为我没有你那样的阅历？"

琴恩说："儿子！你怎么能跟他比呢？这里毕竟只有一个泰山啊！"她微笑地看着儿子，这笑容里不无自豪。

泰山说："我出生时，是在兽群之中，而且，又是大猿把我抚养大的。有时，我真疑心我的父亲是不是个大猿呢！你们知道，我的猿妈妈卡拉曾经告诉我，我的父亲就是个大白猿呢！"

琴恩有点急了，喊着说："约翰！你怎么能这样说你的父亲呢？你明明清楚地知道你真正的父母是谁！你不是承袭了他们的爵位吗？现在你怎么能这样说呢？"

泰山看了一眼他的儿子，有几分调皮地把一只眼眨了一下，说："你的母亲始终不把大猿的优美品质放在眼里。大家都知道，她不喜欢有人提到她的丈夫是人猿。"

琴恩严肃地说："约翰·格雷斯托克！你要还提这件事，我就不理你了！我都替你害羞呢，把这些事拿出来张扬，看来，你真是个不长进的野人呢，若再退化下去，也许真要变成一只人猿了。"

从帕鹿顿回庄园的漫长旅途，眼看就要结束了。在一个礼拜之内，他们就要回到原来居住的地方。离家越近，心里反而愈加急切起来，他们禁不住都在想同一个问题，那儿被德军糟踏过一通之后，现在究竟是什么样子了？还剩下些什么呢？这在他们心里都还是疑问。泰山在出去寻找琴恩之前，已经知道了一些情况，例如，谷仓和外边的房屋都被烧毁了，庄园居室的一部分，也被破坏了。那些瓦齐里武士，对泰山都是忠心耿耿，其中有些没被施奈德杀死的，都去找英国人收留他们了。但是，没被杀死的瓦齐里武士到底还剩下多少人？他原来广大的家业，至今还剩下些什么？这些事因为当时忙着要走，都来不及调查。说不定那些游猎的土著人，还有以抢劫为业的阿拉伯人，在德军烧杀抢掠之后，也来光顾过这个地方，又继续进行了破坏。甚至门前那片丛林，都很难说还有没有，过去自己费心经营出的一座庄园，这么久没有人管，也许已经蔓草丛生了呢！

泰山自从得到这只小狮子之后，简直把它当一个孩子看待，整天为它奔忙，设法给它找吃的东西。当然，它还不会吃肉，除了奶汁之外，不可能喂它别的东西。狮子的奶，不用说，是根本没法找到的。渐渐地，泰山这一群人，已经进入有人烟的地方了，周围已经有了一些土著人的村子。而且泰山在丛林中的大名，是很多人都知道的，土著人大多对他既尊敬又爱戴。所以当天下午，泰山就到一个土著人的村子里去，给小狮子找乳汁。

起初，由于泰山的衣着已大不同于往日，不是昔日那个有绅士风度的大宛那了，大家都认不出他了，所以，没有人理睬。按照这里土著人的习惯，旅行的白人，如果不带大批护卫，是很难引起他们的尊敬的。因为不带护卫的白人，很明显，不会给他们带什么礼物来。即使把食物给这些白人，多半也得不到什么酬谢。土著人虽然不理他们，但还是产生了很大的好奇心，他们看这些白人穿着奇奇怪怪的衣服，从来没有看见他们这副样子过，感到非常奇怪。仔细观察他们,他们都半裸着身体,跟土著人没有什么两样,就连武器,也和当地土著人用的一样,只有那个年轻人,扛着一支来复枪。其余的人,都穿着古怪的帕鹿顿服装,在黑人眼里,当然是不可理解了。

泰山走进村子,就问:"你们的村长在哪里?"那些妇女和小孩,都非常势利眼,他们不但不回答泰山的问话,反而一惊一乍地大呼小叫起来。

在茅屋的屋檐下,躺着几个武士,这时听到喊叫,就站起来,跑到泰山跟前。

有一个武士问:"我们的村长正在睡觉。你是谁?你找村长有什么事?"

泰山说:"我有话要跟你们村长说,你赶快去把他叫来!"

那群武士大睁着两眼看着泰山,有一种大不以为然的神气,接着,便大声狂笑起来。其中一个武士说:"这事儿可真新鲜,好像他的话只有见了村长才能说,嘿嘿!"说完,他又放声大笑起来,还用手掌在两个大腿上,噼噼啪啪地拍着,还不断用胳膊肘碰一碰他周围的同伴。

泰山稍稍提高了声音说:"去告诉你们村长,就说泰山有话要对他说。"

这句话一出口,可产生了奇妙的效果了。只见那群武士马上严肃起来,没有人再笑了。他们吃惊地大睁着眼睛,刚才狂笑的那个武士也一声不响了,连声地大叫:"赶快拿席子来,请泰山和其他的客人坐!我马上去叫乌曼葛村长来。"

说着,他飞也似的跑了,仿佛接受了什么重大的命令。

现在这些武士们，看来客虽然没带什么猎物或礼品来，而且也没有随从，但是一听到"泰山"这两个字，似乎这些都无关紧要了。那些土著人，毕恭毕敬地簇拥着他们，在村长到来之前，他们都忙不迭地捧来吃的和喝的了。

过了一会儿，村长乌曼葛来了。他是一个老人，看样子，似乎在泰山出生之前他就当了这里的村长。这位老人的谈吐和态度，倒是落落大方，他觉得远近闻名的丛林之王人猿泰山来拜访他，是他莫大的荣幸。

泰山也非常有礼貌地向这位老人说明了来意，并抱出小狮子给他们看。乌曼葛村长立即郑重地表示，如果泰山要乳汁，他可以尽量供给，因为他这里有许多羊。只一会儿工夫，热腾腾的山羊奶，就从村长家里端来了。泰山让小狮子舔着羊奶吃，这小东西似乎饿坏了，吃得非常香甜。泰山一边和村子里的人闲谈着，一边用他锐利的目光，打量着村子的四周和村子里形形色色的人。在街道上和茅屋内外，有不少狗在那里跑来跑去。泰山注意到，有一只十分健壮而硕大的母狗，它的乳房鼓胀胀的，看样子就知道里面有丰富的乳汁，泰山一见，立刻有了主意。他指了指那条狗，对乌曼葛说："老村长！你能把那条狗卖给我吗？"

村长听了泰山的问话，满面笑容地说："它现在就属于你了，宛那！你不用出钱来买，这一点薄礼，我还是送得起的。它生了小狗刚两天，可是昨晚，它生的两只小狗都失踪了，恐怕是被一条大蛇或其他什么野兽弄走了。如果宛那想要狗，不论肥瘦，不论多少，我都愿意送给你。据我看，这条狗的狗肉恐怕不好吃。"

泰山说："村长猜错了，我倒不是想吃它，我要把它带走，让它给我的小狮子喂几个月的奶。村长既有美意，就把它给了我吧！"

马上有几个小男孩，奉村长的命令，去捉那条狗了，不一会儿的工夫，那条狗就被绳子拴着脖子，牵到泰山跟前来了。这条狗别看又大又壮，刚到泰山面前的时候，它还是很害怕，因为白人的气味和黑人的气味不一样，它闻不惯。它用鼻子狂嗅着，猛地扑向了这位新主人。但后来，泰山到底驯服了它，当泰山伸手去抚摸它的头时，它竟服服帖帖躺到泰山脚边来了。虽然，它对泰山不认生了，可还有一个问题必须解决，如果让它和小狮子接近，可能它不会一下子接受。别看狮子小，它有它的天性，它会向狗张牙舞爪，狗仗着自己身大力不亏，也会向小狮子狂吠，甚至会扑上去。要让这两个动物和睦相处，恐怕还要下一番工夫才行，不但方法要对头，还得有耐心。这一点，泰山是有办法的，到最后，母狗终于肯给小狮子哺乳了。

那一夜，泰山把母狗拴在它原来主人的茅屋里，泰山整夜都在教它怎样对待小狮子。这一夜，它居然给小狮子喂了两次奶。第二天，泰山一家人向村长乌曼葛和村民们道别，把狗也带在身边，向回庄园的路上走去了。在路上，泰山抱着那头小狮子，有时也把它装在布袋里，把狮头露在外面，扛在肩上。他们给这头小狮子起名叫扎得巴尔查，这个名字，按照帕鹿顿语的意思，就是金毛狮子。这头小狮子的毛色，也真的像黄金一样。过了几天，小狮子和它的养母越来越亲热了，后来几乎真的像母子一样，小狮子时时依傍着狗妈妈，母狗也像爱护儿子一样保护着小狮子。泰山看着，自是欢喜。他们也给狗妈妈起了个名字扎阿，帕鹿顿语就是女人的意思。

又过了几天,泰山索性把狗妈妈颈上的皮带也解开了,任凭它穿过树林,跟着人们一起走。就这样又走了几天,狗妈妈没有要离开他们的意思,它对泰山也很亲热,泰山、狮子和狗,总差前不后地走着,只要有一小会儿工夫,三个之中没看见任何一个,他们都会不安地彼此寻找。

他们的归程终于走完,当他们走到丛林的时候,知道丛林前面就是那一片他们非常熟悉的平原,前方就是他们的庄园。泰山、琴恩和杰克,虽然心里都忐忑不安,但互相还是说着鼓励话。他们不知道庄园到底是什么模样了,在原址上还能找到点什么?他们往最坏处估计,大不了也只会像泰山夫妇初来这里时,什么都没开辟过的荒凉样子,顶多也就是这样了,还能坏到哪儿去呢?不是吗?

终于,他们走出树林,远远望见庄园的原址,树叶中还隐隐露出些房角和断墙。

现在一切都暴露在他们面前,庄园剩余的建筑一览无余,他们似乎觉得心安了,因为不必再忐忑不安地猜测了。

琴恩高兴地叫起来:"看哪!它还在那里!我们的家园还在那里呀!"

杰克忽然问:"看!离庄园不远的左边,那里是什么?"

泰山说:"我想那是土著人搭起的茅屋。"

琴恩又四顾了一下,忽然吃惊地叫着说:"约翰你看!怎么这些田还有人在耕种着呢?"

泰山说:"你们注意到了吗?还有那些外围建筑物,也重新建造起来了。我想,这说明一个事实,我们的瓦齐里武士们,已经从英国军队那儿回来了。我们那些忠心耿耿又勇敢无比的瓦齐里武士们啊,他们在没有人指挥的情况下,已经在德军焚毁的焦土上,尽自己的力量,重整家园,在等待我们归来了啊!"

　　琴恩和杰克回头看看泰山,见泰山的眼睛湿润了。

二
扎得巴尔查

泰山、琴恩和杰克,就这样在离家很久又历经劫难之后,现在又平安地重新归来了。并且还带回了刚收养的小狮扎得巴尔查和母狗扎阿。头一个从庄园里跑出来迎接他们的,是老仆人伟万里,他就是华新布的父亲,华新布是瓦齐里武士中既年轻又勇敢的一个,在德军劫掠庄园的时候,他为了保护泰山的家眷,被德军杀害了。

这忠心而又年迈的老黑人由于过分高兴,有点絮絮叨叨地高叫起来:"哎哟,宛那啊!你到底回来了,我这双老眼睛一看见你,都觉得眼前大放光明了一样。自从你离开庄园,我简直不知道过了有多久了。但是我们这些人总在说你会回来的,现在看哪!你不是真的回来了吗?我老伟万里知道,不管世界有多大,不会有谁,或者有什么事,阻止得了我的主人。我们天天在盼,天天在说,我们的主人迟早会有一天会回到他可爱的家园的。一定会回到忠心的瓦齐里人守候着他回来的地方。但是伯爵夫人,我们都以为她被德军杀害了,今天竟也一同回来了,这可真是意外之喜啊!我们不知道该怎么快活了!来呀!都快到这儿来!咱们瓦齐里人要唱歌、跳舞,狂欢它一整夜!我们日思夜想的最敬爱的主人,已经回到家里来了!哎呀呀!太高兴了!"

这一天,整个庄园都沸腾了,瓦齐里人每家每户的茅屋里都散发出愉快的笑声。像过什么盛大的节日一样,这样的狂歌狂舞,不止持续了一夜,而是连闹了两个整夜,每晚都闹得震天动地。一直到泰山劝阻他们,他们才停下来。瓦齐里人热情有余,却没有那么细心,他们没有想到泰山一家,现在最需要的是休息和安睡。过了没有几天,不但很多瓦齐里武士都闻讯回来了,连那个英国管家杰维斯也回来了。他回到庄园之后,马上操持着把泰山庄园里的牛圈、马圈、兽栏、外围建筑等等都整修一新,从外观上看,和德国军队劫掠以前几乎差不多了。

不久前,杰维斯去内罗毕购置有关非洲庄园内要用的东西,一直到泰山他们回到庄园几天之后,他才完成任务回来。忽然见到泰山,他的惊讶和快乐,并不亚于瓦齐里武士们。他们都想知道泰山此次出去的经历,于是围坐在泰山的脚前,听泰山讲述帕鹿顿的故事,其中详细讲述了他们三个人各经历的险境,琴恩也讲述了她做俘虏时的艰苦。武士们又好奇地看着泰山带回来的小金毛狮和母狗扎阿,心里暗想,泰山居然会搜罗一条土著人村落里的母狗,来喂养一头一贯与人为敌的狮子,觉得主人的用意真是让人觉得不可思议。尤其是当他们看到泰山训练狮子的办法,更是觉得奇怪了。

金毛小狮和它的养母扎阿,都住在泰山的房子里,占据了泰山居室的一角。每天,泰山都抽出几个小时的工夫来跟它们玩耍,就在游戏中有意教导狮子一些简单的本领。那金毛狮身上的毛,现在还是斑斓可爱的,而且它现在还处于幼年,一派天真烂漫，还可以和它共止息、同玩耍，可是将来总有一天，它会长成一头巨大凶猛的野兽。

日子一天天过去，小狮子也在渐渐长大，泰山在这期间，教会了狮子不少动作，例如：把什么东西拿来呀，把什么东西送走呀；泰山命令它躺下，它就驯服地躺下；有时，它也会随着泰山的命令跳跃舞蹈；有时泰山会把一个东西藏起来，训练它像狗一样，用鼻子嗅着去找，一直到把那东西搜寻出来为止。泰山在训练狮子学会做这些事时，必须拿肉食做奖赏，否则，它就不肯做，还耍起赖来，常常逗得瓦齐里武士们哈哈大笑。泰山专门为金毛狮造了一个假人，把肉食拴在假人的咽喉处，叫狮子扑上去吃那块肉，就这样，多次地训练它。泰山常常先命令金毛狮伏在地上，然后指着假人，嘴里喊出一个"杀"字，金毛狮一听见这个命令，就会立刻向那块肉扑去。不管它怎么饿，如果没有主人的命令，它决不自由行动，决不擅自去扑那块肉。在开始的时候，肉块很小，它不大容易抓到，随着它后来渐渐长大，那块肉也渐渐增大，它扑食就容易多了，往往只需轻轻一跳，那假人就被扑倒在地，狮子就习惯地在假人的咽喉上咀嚼。

在这些本领之中，最难学的是命令狮子准确无误地拿某个物件来。因为狮子是天生嗜血的猛兽，要让狮子完全听从主人的意愿，那是何其不易啊！别人恐怕是做不到的。可是人猿泰山，自幼是大猿养大的，又生长在丛林的兽群之中，他自然有办法让狮子听话。经过泰山经年累月的训练，终于成功了，狮子已经能听懂"拿来"这两个字了，只要听到泰山发布这个命令，它立即把目标叼来，交给主人。譬如命令它把喉间捆着肉的假人叼来，不许

日子一天天过去,小狮子也在渐渐长大。

动那块肉,也不许伤害假人另外的部分,它每次都能准确无误地完成动作,把假人叼来,放在泰山脚边。时间久了,它也懂得,这些动作都不是白做的,只要做对了,主人必有奖赏,奖赏就是比平时大一倍的肉。

琴恩和杰克常常看着泰山训练金毛狮,但琴恩始终不理解泰山如此训练金毛狮到底有什么用意,但根据她多年和泰山在一起的经验,她觉得泰山一定有他的道理。一次,琴恩问泰山:"你这样下工夫训练这头狮子,将来你打算让它干什么?它长大一定是一头凶猛的雄狮,它从小在咱们身边,当然不会伤害咱们,可是你老叫它到假人脖子上去吃肉,将来万一看见了生人,它不会扑上去咬人吗?"

泰山说:"他吃不吃食物,一定要有我的命令才行啊!"

琴恩又问:"那你不希望它把人当作食物吧?"

泰山说:"它决不会拿人当食物的,你不是也看到了吗?我从来没有拿人喂它。"

琴恩说:"可是你从小训练它扑倒假人,从假人的脖子上取肉吃,我不知道它会不会辨别真人和假人?"

泰山说:"我们不妨做一次测验,看到底我们俩谁对。今天下午,我们带扎得巴尔查到平原上去。测验的方式很多,现在我们还无法预定。我训练小狮子的办法是成功还是失败,下午就可以见分晓。"

杰克在旁边听着父母的谈话,笑着插嘴说:"我愿意赌一百个金镑,如果这头金毛狮子在尝到了活物的血味之后还肯服从爸爸往日的训练,我这一百个金镑就输给爸爸了。"

泰山听出杰克是站在琴恩一边的，也笑着说："你瞧着吧，我的儿子！今天下午我一定会让你们心悦诚服。到那时你们可不要惊讶得合不拢嘴巴呀！你小心你钱袋里的一百金镑，已经在向我招手了。"琴恩也笑着说："若真这样，格雷斯托克爵士！你可真成了世界上野兽训练家的权威了。"

泰山也笑起来说："动物和人有相似之处，也有感情，也懂道理，马戏团的驯兽师往往是一手拿食物，一手拿鞭子，做对了就给点食物，不对就打。野兽只是怕驯兽师而已。我则不是这样做的。譬如说你是一种动物，你对某个人毫无好感，甚至见了他就害怕，那么，你在感情上会认为他是你的仇敌，如果他命令你做什么，你会高兴去做吗？你会让他如愿吗？我想你是不会的。一旦你觉得有力量反抗，你就会反抗，甚至会怀着一种仇恨，置他于死地，以取得自己的自由。反过来，如果和你相处的是你的朋友，他通过你的一举一动懂得你的心意，给你食物，爱护你，总之，他完全取得了你的信赖。这样，他要求你做什么事的时候，你会拒绝他吗？扎得巴尔查之所以服从我，就是这个道理。"

杰克又问他的父亲："你对它的命令，能维持很久吗？"

泰山说："这话要接着刚才的话来讲。如果你是这个动物，对某个人心存感激和敬爱，但同时他有权力处罚你，甚至置你于死地，这样，他给你的命令，你会不服从吗？"

那天下午，他们越过平原，扎得巴尔查跟在泰山的马旁边走。他们到离开庄园较远的一座丛林里，一个个都跳下了马，吃力地向草丛走去，走到草丛丰茂的地方停下来。泰山、琴恩、杰克在一起，扎得巴尔查紧贴在泰山身边，这三人一兽之中，扎得巴尔查是有生以来第一次出猎。他们静悄悄地走过树丛,不使周围的枝叶发出声音。最后,他们看见在草丛里,有一群羚羊在那里吃草,于是他们停止了脚步。离他们不远的地方,有一只老母羊,泰山用他所特有的方法,指给扎得巴尔查看,并且低声命令它:"去!捉住它!"扎得巴尔查轻轻地咕噜了一声,表示它明白了泰山的意思。

金毛狮轻轻地钻进树丛,并没有惊动羚羊,它们还在静静地吃草。这时狮子离羚羊还远,不能马上进攻,所以扎得巴尔查躲在树丛中,等羚羊越来越到近处来吃草,它在等待一个合适的时机再进攻。四个一声不出的捕猎者,眼睛都在看着那群羚羊,可是那群羚羊,一点儿也没察觉危险就近在身边了。那头老母羊毫无警惕地越走越近,渐渐靠近扎得巴尔查了,那金毛狮在暗中作着进攻的准备。它最明显的动作,就是它的尾巴在摆来摆去。说时迟那时快,它忽然像一支射出的箭一样蹿了出去,当它扑到那只母羊的时候,老母羊才发觉有危险,可是已经来不及了。金毛狮抓住老母羊的后腿,其余的羊都惊慌地四散奔逃,一会儿就不见了踪影。

杰克说:"现在,我们等着看它下一步怎么做。"

泰山很肯定地说:"它会把羚羊叼过来交给我。"

他们看那金毛狮,迟疑了一下,对着被它咬死的羚羊咆哮着。只过了一会儿工夫,它就把死羚羊放在地上,用头把羊的尸体拱得斜到一边去,然后,叼着羚羊慢慢向泰山走来。它安详地拖着羚羊,穿过树丛,颇走了一段路,一直走到主人面前才停住。然后把死羊放在地上,抬头看着泰山,似乎在等候他的奖励。泰山满意地拍了拍扎得巴尔查的头,低声对它说了些什么,好像是在夸奖它。接着就抽出猎刀,刺穿羚羊的喉咙,鲜血一下子涌了出来。琴恩和杰克在旁边神情专注地观察着金毛狮的动静。那头金毛狮闻到鲜血的味道,似乎有点忍不住了。它往死羊身上嗅了一阵,最后,好像终于经不住美味的诱惑了,咆哮着,张牙舞爪,向泰山他们三个人扑过来。泰山用力推开它,它又咆哮着,带着怒容,向泰山扑过来。

在动物里,狮子和鹿的动作,都要算敏捷而灵活的,但泰山的动作决不比他们慢。他闪电一样地用手向前一推,虽然他自己并不觉得,可是力量已经够大了,扎得巴尔查没防这一手,冷不丁地仰面倒在地上了,嘴里还不停地咆哮着。泰山跑到金毛狮的身边,威严地和它面对面站着。

泰山喊道:"趴下!趴下!扎得巴尔查!"他的声音又沉着又坚决,有一种不容违抗的语调。狮子开始还犹豫着,后来终于趴在地上了,完全按照人猿泰山命令它做的做了。泰山转过身,从地上捡起羚羊的尸体,扛在自己的肩膀上,然后对金毛狮子说:"过来!跟在后面!"扎得巴尔查竟毫不反抗,跟在马后面走了。

杰克笑了,说:"我看它开始时的样子,还以为这一百金镑我会赢呢,看来,我还是输给爸爸了。"

泰山只笑了笑,没有说什么,琴恩却说:"你早就该料到,你爸爸总是赢家!"说这话时,她的语气里充满了自豪。

三
地下会议

在伦敦一家档次并不高的餐厅里，坐着一个妇女和一个男人，似乎在等什么人。那妇女并不十分美丽，身材也不怎么苗条，尽管她打扮得非常浓艳。不过，这个女人的眉宇间，有一种自命不凡神情，似乎能指挥着一队人做成一番什么事业。她旁边的男友倒特别引人注意，这个人身材魁梧，年纪大约二十五岁，一脸浓密的络腮胡使整个脸好像都被埋在像草丛中一样。他如果站起来，足有六尺三寸高，宽肩厚胸，让人一眼看上去，就以为他是一个老练的运动员。

这两个人在不停地谈着什么，谈得非常热烈，看得出，在他们的谈话中，不时地发生一些争执，有时甚至争得面红耳赤。

那男人说:"听我跟你说，我就怎么也弄不明白，咱们为什么非要依赖他们不可？咱们为什么不可以自己干呢？若是你和我两个人干，得的利咱两人平分，若让他们加进来，可就要分作六份了。难道你就没算过这个账吗？"

那女人以不屑一辩的神气说:"我说你这个人头脑简单，你还不服气，怎么你连这么简单的道理都不懂？要做成这件事，是非得下一笔本钱不可的，你和我可都是两手空空啊！光咱们俩，岂不是空口说白话？他们不但有钱，还足以帮助我们做成这件事，你看，咱们各人有各人的用处，我可以用我的智力，你用你的气力和外表。你要知道，他们使心费力地找你，已经有两年了，埃斯特本·米兰达！现在，他们好不容易找到了你。如果你背叛他们，我可真替你担心。因为他们打算干的事，你已经知道了，假如你中途变卦，可不是我吓唬你，他们会杀你灭口的。如果你让他们知道了你想独吞，嘿嘿……"她说到这儿停了一下，向窗外看了看又接着说："千万小心，我亲爱的朋友，我可是爱惜我的生命的，我劝你也别耍小聪明，丢了自己的小命儿！"

那男人似乎还是不死心，说："就按你这么说，弗洛兰·霍克斯女士！咱们得的也应该比他们分给咱们的多一点才合理，不能随他们的意支配。你想啊，你出主意，我去冒险，这分工就有轻有重，凭什么按六份均分？你觉得这合理吗？"

那女人又耸耸肩说："这套理论，你自己跟他们去说吧！埃斯特本！依我说，你还是听我的劝好，他们给你的数目，会使你满意的。其实，如果这里面没有我，他们也干不成事的，至于你，是我推荐，让你加入进来的。尽管如此，我却没要求要比六分之一更多的数目。假如你不把事情搞糟，就算是六分之一，你一辈子也花不完了。你何必那样贪心不足？闹不好，你一个钱也得不到。"

那男人听了弗洛兰的话，还是一脸不大相信的神情，他这一番表现，倒让弗洛兰心里觉得对这个人倒要提防几分。其实，她对这个男人并不熟悉，只见过几次面。在两个月之前，她头一次见到他，见到的还不是他本人，而是在伦敦一家电影院里的银幕上，扮演罗马禁卫军甲士的，正是这个男人。

他非常引人注目的，就是他那副英雄式的外表和异常强健的体格，至于他扮演的那个角色，在影片中并不十分重要。弗洛兰非常重视他的原因，也在他的外表可以利用这一点上。她和她的同伙，费了两年工夫，想找这样一个合适的人物，无意中在影片上看到了埃斯特本，觉得他这个形象太适合了。可是和这样一个不认识的人，怎么联系上呢？她费了一个多月的周折，终于把他从伦敦一家电影场里找了出来。她并没有用什么特殊的手段，只靠她惯用的女性的魅力。但是，直到他俩的关系发展到情人之后，她还没有把结交他的真正目的坦率地告诉他。

弗洛兰明明知道埃斯特本是西班牙人，显然还是个世家子弟。至于弗洛兰·霍克斯心里想干的一件大事，如何干成的详细步骤，原是她和四个同党详细商定了的。埃斯特本没有详细问，只知道个大概，就欣然加入了，这一点，倒有点让人起疑。正是因为他太直率了，弗洛兰觉得，对他应该格外提防些。虽然总会有一天，她的计划，必须对他合盘托出，但目前，还必须对他保守秘密。她不但对埃斯特本是如此，就是对其他的四个同伙，也没有毫无保留地都告诉。

他俩静静地坐了好一阵，手里摆弄着喝完的空酒杯。她抬头望了望埃斯特本，恰巧他也在看着她，从相碰的目光中她立刻看出此时他心里所想。

埃斯特本柔声说："你之所以能够让我对你唯命是从，因为自从我见到了你，连黄金都忘记了。我一直在盼望着另外一种报酬，就是你总也不肯给我的，究竟到什么时候，你才能让我如愿以偿呢？"

弗洛兰冷静地回答他:"爱情的事,不能和咱们当前要干的这件事相提并论,等我们完成了这件大事之后,再谈爱情的事吧!这两件事决不能搅在一起,你必须明白这一点,埃斯特本!"

埃斯特本带着嘶哑的声音低声说:"我知道,你不爱我,我早已看出这一点了,他们四个人,每个人都爱你。我讨厌他们,不愿意和他们合作,也有这个原因在内。假如一旦让我知道,他们其中一个确实迷恋上了你,我会把他的心挖出来的。很多时间我注意观察你,你心里有时候似乎爱这个人,有时候又似乎爱那个人。你跟他们实在太亲热了,弗洛兰!在旁边没有别人的时候,我看见过约翰·皮勃勒斯紧紧握着你的手,还有迪克·瑟洛克在跳舞的时候,也把你搂得很紧很紧,作出一种脸贴脸的样子。我告诉你,弗洛兰!我真不愿意看见你跟他们这样。也许将来有一天,我宁愿不要黄金,只想要你。说不定我会一时兴起,做出什么事来,到那时,就再没有人来分我从非洲弄回来的金砖了。那个布鲁伯尔和那个什么克赖斯基,也不是什么好东西。据我看,其中最坏的要算克赖斯基了,因为他是个美男子,常向你暗送眼波,这一点我最看不上。"

这时,弗洛兰的眼睛里,已经有了暴怒的神情了,她不禁愤愤然地回答说:"这跟你有什么关系,埃斯特本?谁有权利干涉我选择哪一个人?谁有权利干涉我和他们之间彼此怎么对待?你应该放明白些,我和他们已经有很长时间的友谊了,可是你呢?我和你交往,不过才几个星期,谁有权利来干涉我的行动?我想说感谢上帝,现在还确实没有任何一个人取得了这样的权利。如果有的话,也该属于他们四个中间的一个,还轮不到你呢!"

这回轮到埃斯特本眼里冒火了，他高声说："这正是我所猜想到了的，你热恋着他们中间的一个！"他半站起来，把上半身横过桌子，带着威胁的口气向她说："如果让我找出你在热恋着哪一个，我会送他回老家去！你别以为我不敢！"

埃斯特本用手抓着自己又黑又长的头发，使头发直竖起来，好像一头暴怒的狮子。他眼睛里燃着熊熊的怒火，目光直射着坐在对面的弗洛兰。那女人看得出，他已经丧失理性了，看起来像个疯子。她深恐他做出什么蠢事来，在这个公众的地方，不好收拾，倒不如先把他安抚下来，让他心平气和一点。于是她耐住性子，对他低声柔气地说："埃斯特本！你别这样胡闹，我并没有说我不爱你呀！你何必自寻烦恼？我也没说我爱他们中间的一个，但是你用这种方式求爱，我可实在接受不了。也许你们西班牙的大人先生们，都习惯于这样做，我是个英国女人，如果你爱我，应该用英国人的方式向我求爱才对呀！"

埃斯特本似乎比刚才平静了一点，但他仍怒气不息地说："你没有说你爱他们之中的哪一个，可是反过来，你也没说绝对不会爱上他们之中的哪一个呀！你告诉我实话，弗洛兰！到底他们中间的哪一个爱上你了？"他的眼睛里，还在闪着怒火，他那魁梧的身体颤抖着，看得出，他在强压着心里的感情。

弗洛兰仍低声说："我跟你说真话，埃斯特本！我没有爱上他们之中的任何一个。现在我也还不能说我爱你，将来也许有这个可能。埃斯特本！这件事以后再说，好不好？现在，不是谈这个问题的时候，等那件大事做完了，你回来之后，再提这件事，我认为也不晚。"

埃斯特本这才平下气来说："那么，请你现在就给我一个允诺，我希望你现在就答应下来。弗洛兰！说真的，我并不稀罕什么黄金！"

弗洛兰说："你低声些，我估计他们就要来了，这话让他们听见多不好！"说着，她停下来看了看手表，"约定的时间早过了，他们已经迟到了半个小时了。"

他也顺着她的目光，向窗外望去，看见有四个人，正向这里走来。从外表上就能看得出，其中有两个是英国人，体态比较丰满，像是上流社会的人，有点像拳击手的样子。第三个叫布鲁伯尔，是个矮胖的日耳曼人，他整个人长得像头母牛，脸又红又圆，像个皮球。最后一个，是这四个人中最年轻的，也是长得最漂亮的一个，脸上白白净净，眉清目秀，他的面目，已足够令埃斯特本吃醋的了，偏偏他还生着一头棕色头发，把他衬托得像个希腊神像。这个人的气质又潇洒风流，有点俄国舞蹈家的派头。其实按照克赖斯基的社会地位，倒应该是跟他的外表相符的，不过现在，他却是个游手好闲的人。

弗洛兰马上站起来，笑着跟他们打招呼。这四个人各拖出一把椅子来，围着桌子坐下。埃斯特本勉强和他们点了一下头。

"嗨！"皮勃勒斯高声叫着，同时用手指敲着桌子，示意侍者应该过来招呼客人了，他用法语喊道："给我们来啤酒！"

他这个提议，大家都表示赞同。当他们等待着拿酒来的时候，每个人都故意说些身边的闲事，譬如天气是如何的热呀，他们为什么会迟到呀，以及上次分别后的情况等等。埃斯特本气哼哼地坐着，听他们谈笑，并不插话。一直到侍者把酒送来了，全体都向弗洛兰举杯致贺。这是他们每次集会开始的信号,预示着下面就该谈正事了。

皮勃勒斯第一个开口,他是个挺粗鲁的人。他把右手握成拳头,捶在桌子上说:"现在人都到齐了,可以说诸事俱备了,弗洛兰!什么都有啦!行动计划呀,资金呀,什么都不缺了。原先咱们打算要请的埃斯特本先生也来了。大家都等着呢,现在该轮到你发话了!"

弗洛兰郑重地说:"这件事没钱是办不成的。你带了多少钱来?如果没有大笔款子,咱们就没有必要谈什么开始了。"

皮勃勒斯转身看看布鲁伯尔,眼睛并没有看着弗洛兰说:"你要知道总共有多少钱,他可以告诉你,因为他是咱们的会计师呀!"

布鲁伯尔闪着油光的脸笑了一笑,把他两只肥胖的双手合拢在一起,用带着德国口音的英语,装腔作势地说:"好呀!你猜猜看吧,你猜到底有多少钱,弗洛兰小姐?"

弗洛兰不假思索地回答:"要把事情办妥,少说也得两千英镑。"

布鲁伯尔马上惊叫起来说:"哎哟!天哪!这是多大的一笔款子呀!要两千英镑!"

弗洛兰一脸不屑的神情,斜着眼睛说:"看看! 没见过世面吧? 从一开始,我早就对你们说过,没有一笔足够的资金,我有天大的本事,也办不成这件事。一定要你们筹足了资金,我才能把地图和行动方案拿出来。没有足够的一笔钱,加上地图和方案,你们休想到那个秘密洞窟里去。那个洞窟里有无数的黄金,你们即使要买这个海岛,也绰绰有余。但你们一定要让我先看到两千英镑这笔数字,否则,咱们就什么都不用谈,只当大家做了一场发财梦。"

大家听了,你看看我,我看看你,都觉得两千英镑这个天文数字,太难筹措了。布鲁伯尔带着一脸失望地说:"我们为什么非要那么多资金呢?依我看,如果一千镑能够用,那就好办得多了。"

弗洛兰立刻抢着说:"如果一千镑够用,我也不想非花两千镑不可。但是,我仔细算了很多遍了,不带足两千英镑,我们到了那里,会遇到更多的危险,我觉得咱们的性命和安全更要紧,还是带足两千镑,以防万一好。"

大家静了一会儿,皮勃勒斯开口说:"这笔款项虽说数目巨大,布鲁伯尔想想办法,也许能筹到。咱们是不是可以先谈下边的问题?"

弗洛兰说:"即使有了这笔钱,也得让我先看见啊!我可是讲究眼见为实的,不能空口说白话。"

布鲁伯尔说:"就算我有这么一大笔钱,你们想想,我会把它装在衣袋里带来带去吗?我疯了吗要冒那个险!"

瑟洛克也轻声说:"弗洛兰!你认为我们那么不够朋友,你就那么不相信我们吗?"

弗洛兰鄙夷地一笑说:"难道你们自己不觉得吗?你们本来就是一群无赖,你们有什么资格这样问我?那么,现在我就让皮勃勒斯担保吧,只要他能证明你们确实有这笔款子,而且一切开支由我支配,我可以相信你们。"

皮勃勒斯和瑟洛克都气愤得立起了眉毛，埃斯特本眼睛眯成了一条细缝，目光盯在了克赖斯基身上。布鲁伯尔好像天生是个贱骨头，挨了弗洛兰几句臭骂，他不但不感到受辱，反而倒挺高兴，还满脸赔笑着。克赖斯基见弗洛兰对布鲁伯尔连挖苦带损，不言不语，坐在一边得意地笑着，他这个表情，却激怒了埃斯特本，他满身的血几乎都沸腾起来了。

过了一会儿，克赖斯基慢条斯理地，用带着斯拉夫语调的英文说："弗洛兰！我相信布鲁伯尔能拿出这笔钱来，现在我建议，我们每个人都拿出一股来，让布鲁伯尔保管。因为我了解他这个人，他有一股子吝啬劲，即使他手里拿着一个小钱儿，不捏出水来，他是绝对舍不得让它从手中溜掉的。现在咱们就商量下一步，我主张咱们两两从伦敦出发，免得人多了惹眼。"说着，他不等弗洛兰表态，就从衣袋里取出一张地图来，摊在面前的桌子上。他指着地图上标着一个记号的地方说："我们在这儿聚齐，准备好行装出发。布鲁伯尔和埃斯特本先走，然后就是皮勃勒斯和瑟洛克，等我和弗洛兰到达的时候，你们就什么事都准备好了，我们就赶快一起向内地进发。到时候，我们必须建起一个永久的营地，这个营地，最好是远离人行道，而又接近目的地。埃斯特本只要演技出色，在最后一段旅程上表演得成功，我想他不必费多大劲就可以做得惟妙惟肖，因为在那里看他表演的人，除了愚蠢的当地土著人之外，就只有野兽了，他无须拿出全身解数来表演。"

这段带讽刺意味的轻松高调，使埃斯特本再也忍不住了，他眼睛里几乎冒出火来，恶声恶气地说："我早知道你打算和弗洛兰小姐同路走,你小子打的什么如意算盘?"

克赖斯基嬉皮笑脸地说:"这个嘛,不用我说,你自然明白,除非你的智商太低。"

埃斯特本已经忍无可忍了,猛地站了起来,挥着拳头向克赖斯基冲了过去,弗洛兰赶快拉住他的衣角,说:"在这里不能这样!"又拉他重新坐到椅子上,说,"像你这种举动,在这儿可使不得。你如果再这样动不动就来粗的,我可要让你退出我们这个行动,重新找一个容易共事的朋友来帮助我们。"

皮勃勒斯也跟着帮腔说:"是呀!我也赞成把他轰出去,那些事不一定非用他不可。"

瑟洛克也随声附和着说:"皮勃勒斯说得不错,那些事,我也可以帮他做。弗洛兰我是信得过的,我愿意和她合作。如果再这样闹,请你们两个人一块儿滚蛋!"他说着,先看了看埃斯特本,又看了看克赖斯基。

布鲁伯尔赶快出来调解,说:"大家都别说掰交情的话了,让我们大家握握手,还是同舟共济,做好朋友吧!"

皮勃勒斯也高声说:"布鲁伯尔说得对,埃斯特本,伸出你的手来,克赖斯基也伸出手来,我们都不能彼此心怀怨恨,只有大家同心协力,才能干成咱们的事情。"

克赖斯基仗恃着他和弗洛兰的关系特别密切,就大模大样地把手伸给了埃斯特本,但埃斯特本却迟疑了一下。

这下可把瑟洛克惹恼了,他高声吼叫道:"你握不握手?不握就请你出去,你还去干你的老本行,我们这里也另外找人,这不是非你不可的事。"

埃斯特本倒也识相，他也懂得众怒难犯的，于是原来阴沉着的脸，一下子变成笑容可掬，赶快伸出手和克赖斯基的手握在一起。同时又说："请原谅我，我的脾气太倔了，其实我心里并没有什么恶意。刚才大家的话是对的，我们都应该做好朋友。克赖斯基，让我们握握手吧！"

克赖斯基也表示谦逊地说："好的，我觉得很抱歉，不知我是不是有得罪你的地方？"但他这时忘记了对方是个演员，做戏是他的拿手活儿，人们只看到他脸上堆着笑，如果谁能看到他脑袋深处的想法，一定会战栗起来。

布鲁伯尔说："好了，现在我们都是好朋友了，我们为什么不赶快行动起来呢？弗洛兰小姐！请把地图和行动方案给我，咱们立刻进行正事吧！"

弗洛兰说："克赖斯基！请借给我一支铅笔。"她把铅笔拿到手之后，就在地图上原来画着标记的地方，找到了一个地址，在那里加上了一个圆圈。然后说："大家请注意这个画圈的地方，当我们到了这里的时候，我才可以向你们公布全盘的行动计划，现在说这些，还为时太早呢！"

布鲁伯尔这时举起一只手说："哎，弗洛兰小姐！你这是使的什么招数呢？我们花了两千英镑，你也得让我们花个明白呀！你不是叫我们来，共同做成一件事吗？现在你把我们大家蒙在鼓里，连一个细节都不让我们知道，我们凭什么糊里糊涂就拿出两千镑啊！你未免太把我们当小孩子耍了吧？"

皮勃勒斯也说："是呀！他说得对，现在我们大家都在这儿，你有什么不能当面锣对面鼓地说出来呢？你没有任何理由捂着盖着呀！"说着，他肥胖的拳头，又敲击在桌子上了。

弗洛兰面带怒色地站了起来，说："我这样做，自有我的理由，没有必要告诉你们。"说着，她扭动了一下身子，做出就要离开的姿态，说，"你们如果这样逼我，咱们不如干脆散伙！"

布鲁伯尔连忙站起来说："慢着。弗洛兰小姐，你先别动这么大的火呀。你想想，两千英镑，对谁来说都是一笔巨大的款子，我们都有各自的正经职业，隔着口袋买猫，我们不知道是否是有利可图的事，我们自然是不会干的呀！"

弗洛兰说："我没有说过叫你们做赔本生意，但是，我没有全部掌握实权之前，是不能把计划告诉给任何人的。假如我先把计划泄露出来，那么，一切你们都可以自己去进行，当然会把我甩到一边去，我可不愿意落得这么一个下场啊！"

布鲁伯尔说："弗洛兰小姐！你也太信不过我们了，我们都不是没良心的人，咱们也交往好几年了，我们什么时候存过欺骗你的半分歹意？"

弗洛兰板起面孔反驳道："你对我未必那么坦诚相待，你们也都未必。假如你们都真心诚意地和我合作，应该拿出具体行动来给我看。等整个工作都完成了之后，我还必须看看最后的结果，看我所得到的，是否真令我满意。你们应该把我今天的话作为标准，因为关键性的是，秘密在我手里呢。请问你们，我到丛林中去，受尽千辛万苦，我图的是什么？我能得到什么好处？看你们现在这副架势，挑肥拣瘦地讲价钱，好像没有你们，那里的黄金，就运不出来似的。我说句公道话，我既没利用你们，也没捉弄你们，因为我对你们没存什么私心，所以我很坦然。我知道到了危险关头，不是埃斯特本，就是克赖斯基，他们一定会保护我的。我相信，你们其余的人，也是肯照顾我的。你们大家说，这件事到底是进行，还是散伙？"

布鲁伯尔看着皮勃勒斯和瑟洛克说："你们俩的意见到底怎么样？至于克赖斯基，我知道，他的意见是和弗洛兰一样的。喂！伙计！你说我说得对不对？"

瑟洛克说："我平生与人共事，从来不三心二意，除非出现了万不得已的情况。但照现在的情形看，我们应该信得过弗洛兰。"

皮勃勒斯说："其实我们都一样，弗洛兰！假如你要点什么小手腕儿的话……"他说到这儿就停住了，用一只手摸了摸咽喉部位，仿佛把底下的话咽下去了。

弗洛兰听到这儿，笑了笑说："我都知道了，皮勃勒斯！同时我也知道，你们都想赶快进行，至于是两千镑还是一千镑，你们也不想多争了。但是你们都同意我的计划吗？克赖斯基！你先说说。"

克赖斯基点点头说："你们大伙儿说怎样干，我都赞成。"

于是大家都运用起自己的聪明才智来，讨论计划的每一个细节，真所谓集思广义，考虑得无微不至，刚才弗洛兰在地图上画上圈的地方，到了那里之后应该做什么，大家也都充分发表了意见。

四
脚印的意义

金毛狮扎得巴尔查,在泰山的庄园内长到了两岁的时候,已经成为一头健壮的雄狮了。因为泰山精心喂养它,以形体的巨大而论,它超过了丛林中的成年雄狮;以它的风姿而论,它那硕大的头部,加上颈部披的堆云一样的鬃毛,真是一头血气方刚的狮中之王;至于说到聪明和智慧,它那些林中的野蛮的弟兄们,是绝对没有一个比得上它的。

泰山有了扎得巴尔查,觉得十分快乐而骄傲。这两年来,他辛辛苦苦地教练这头金毛狮,尽量发挥它内在的潜能。长到两岁的金毛狮,夜晚已经不再睡在主人的床前了,泰山特地为它在庄园的后院里,造了一个坚固的笼子,作为它的住所,没过多久,它也就习惯了。因为泰山知道,它虽然是从小在家里养大的,但不管怎么说,它毕竟是一头狮子,是一种带野性的食肉动物,不能不做些防范。在开始养它的第一年,可以允许它在屋子的四周自由散步,后来,就只许它跟着泰山一同走了。平时,泰山常常带着狮子,在平原上或在丛林里,一同狩猎。金毛狮对于琴恩和杰克,倒也像对泰山一样亲热,琴恩见了它,也不害怕。但相比起来,它还是和泰山的关系最好。狮子对泰山庄园上的黑人们也很友好,似乎能认出这是自己家里的人。它也不伤害泰山养着的家禽和家畜,这是泰山从小就教给它的,它知道如果任性地冲进畜栏和圈着家禽的篱笆里去,那是一定会受相当重的处罚的。即使在它饥饿难耐的时候,也懂得不能犯这样的家规。

人和兽类之间,似乎也能互相了解。譬如金毛狮扎得巴尔查,就能听懂泰山的话。这恐怕与它自幼生活在泰山身边有关,就算是泰山的训练方法再好,如果换成一头野蛮的没有灵性的兽类,即使泰山再努力,可能也是徒劳无益的。金毛狮不但服从泰山,而且对泰山还带着一种肃穆敬爱的神情。它一听到泰山的命令,不管跑多远,都会把泰山让它去叼的东西——如斑马或羚羊——叼回来,规规矩矩放在主人面前,从来不肯偷吃一口。即使那猎物还没死,它也不会伤害它们。金毛狮就这样常常跟着它的主人,到树林中去游玩、狩猎。

就在这一段时间里,泰山听到一种传闻,说最近有一股掠夺团伙,常在他庄园的西边或南边一带出没。他们抢夺象牙和奴隶,然后就像旋风一样地逃走。传闻中说了许多丑恶的故事,让泰山的庄园和周围的丛林不得安宁。这一类的事,在阿莫尔·本·卡特尔率领他的阿拉伯部落到来之前,是没有人说起过的。泰山听了这些流言,也皱着眉头,心里纳闷,不知这些人是从哪里来的,他们究竟要来干什么。过了一个月之后,庄园平安无事,这些传闻也就渐渐地沉寂下来了。

第一次世界大战的后果,使格雷斯托克爵士的财源受了不小的损失,收入比从前少得多了。他把一切都贡献给了协约国,所剩余的一小部分,又都用在重建庄园上了,可以说,家里所剩无几。

有一个晚上,泰山对琴恩说:"咱们的家计得做做打算了,我想,我得再去奥泊城一趟。"

琴恩一听见奥泊城就胆战心惊,连忙说:"我很怕听你说起这个地方,我不赞成你去!你曾经两次到这座可怕的城里去都差点儿送了命。你再去,恐怕就没那么幸运了。约翰,我们的钱还足够过日子,完全可以在这里安居乐业了。为什么你还想放弃这个舒适的家,而非要到那个金库去呢?"

泰山说:"琴恩,你放心,那里没有危险。前一次,是因为我不知道沃泊尔跟踪了我,所以差一点儿死在他手里,再说,哪有那么巧,老遇上地震呢?我想那些都是偶然的事,都不会再发生了。"

琴恩仍不放心地问:"泰山!你是打算一个人去,还是带杰克一起去?"

泰山说:"这个,我考虑过了,我不打算带他走,他还是留在家里陪伴你,更让我放心些。因为这一次,我离开你的时间大约要两个月,外边又有关于劫匪的流言,你在家里可能遇到的危险比我要多,所以把杰克留下好。我只带五十名瓦齐里武士走,一来路上有伴儿,二来他们可以帮我搬运黄金。同时也要多带些干粮和弓箭,出门在外,什么情况都可能遇到。"

琴恩想了想,又问:"那么,扎得巴尔查怎么办?你打算带它去吗?"

泰山说:"不,还是让它留在家里好,杰克已经指挥得了它了,他可以带它一同去打猎。我这次走,准备轻装,要急行军,扎得巴尔查若跟了去,它经不住那么累,而且狮子不习惯在烈日暴晒下走长路,这次我们的行程,多半在白天,我估计扎得巴尔查受不了。"

他们商量了之后不久,人猿泰山就准备好了一切,再度动身往奥泊城进发了。这又是一次漫漫的长途,五十名高大壮健的瓦齐里武士,跟在泰山身后。这些武士们,平时是非常景仰泰山的,这次他们跟泰山出去,不消说,也都会忠心耿耿帮助泰山。出发的那一天,琴恩和杰克站在庄园前的走廊上,向泰山率领的队伍挥手送行。扎得巴尔查见泰山走了,不像往日一样带着它,发出低声的悲吼,这声音自然也传到了泰山的耳朵里。当他们走出一小段路的时候,那金毛狮的叫声,还经过平原,传了过来。直到渐行渐远了,四周静悄悄的,扎得巴尔查的叫声才听不见了。

如果泰山是一个人,那会是很快的,但这次是同五十名瓦齐里武士一起走,他的速度不得不受到他们的牵制,他只好在可能的范围内,比平时走得稍快一点。奥泊城离泰山的庄园足有二十五天的路程,但是他们回来时,要带着金砖,那必然会更慢些,因此,泰山准备用两个月左右的时间,来完成这件事。跟着他的五十名瓦齐里武士,都是善战的人,所以对于走长途,他们并不感觉吃力。他们并没有带多少干粮,因为他们都是高明的猎手,在丛林中走,并不缺乏飞禽走兽,不愁找不到吃的东西。

他们夜晚歇宿的问题,也很容易解决,只要有一片篱笆或几处树荫,就可以安然入睡了。他们带着弓箭和长矛,跟随着自己所信赖的主人,使得在沿途不必愁饥饿,也不必怕什么险阻。泰山预计用二十天左右的时间,赶到奥泊城,如果是他一个人去的话，时间还可以缩短三分之二，因为泰山可以在丛林的树木上腾跳前进，可以不分昼夜地往前赶，也不会觉得体力不支。可是这一点，瓦齐里武士们却做不到。

泰山出发后的第三个星期，有一天中午，他让瓦齐里武士们在后面慢慢地走，自己一个人先往前去找寻猎物。他忽然发现地上躺着一只死鹿，鹿的肚子上带着一支有羽毛的箭。看样子，鹿好像是在附近什么地方受了伤，逃到这里才死去的。因为看它受伤的部位，不是致命的地方。这件事令泰山十分惊奇，在这么荒野的地方，会有什么人用箭来射鹿呢？看那箭的样式，也很特别，他弯腰从鹿的身上拔下那支箭仔细一看，认出这种箭是玩具店里卖的，是供孩子玩耍用的，至多不过在花园或郊外练习射击用。但是，现在居然在荒野的非洲中部发现这种箭，而且还射死了一头鹿，这就不能不引起泰山的注意了。

泰山的好奇心被这件事勾了起来，于是在丛林里不得不格外小心。一个人要在丛林中生活，对于丛林中的各种情况，必须熟悉不可，要想做到这一点，对于丛林中的大小事件，都不能漫不经心地放过。于是泰山就顺着鹿的蹄印找去，想要弄清楚射鹿的是个什么人。那路上鹿血的痕迹，还非常清楚。泰山心想，这射鹿的人好生奇怪，明明射着鹿了，他为什么不来追赶，不来找回猎物？他既然不要鹿，又为什么要射它呢？从那血迹上看，恐怕鹿被射中，已经有几天了。在黄昏之前，泰山终于找到了射鹿人的脚印。他顺着脚印找去，最令他不解的，是有一双带红色的脚印，看那脚印的形状和大小，分明是白人的，而且是一个身材魁梧的大汉，大概和自己差不多。这件事，使得这位丛林之王站在神秘的脚印旁边,搔着他浓黑的头发,心里思索着,做着各种猜测。

这事很难令人相信,一个赤脚的白人,拿着玩具店里卖的弓箭,在泰山辖区的丛林内,居然射死了泰山心爱的小鹿。这时,泰山想起了几个星期前听到的传言。但是由于天色已晚,只好暂时把这件事放下,等第二天再探明究竟。当泰山回到宿营地的时候,天色已经黑尽了。

泰山知道他的瓦齐里武士们,在等着他带肉食回去,他不能两手空空让他们失望,于是他要想办法带些肉食给他们。他听见附近有一头狮子的声音,过了一会儿,他又听到远处有狮子的怒吼声。泰山明白,在丛林中还有另外与他同样的猎取者,他并不害怕,因为这种情况,他已经不是第一次遇到了。他自信能够运用智力和体力战胜蛮荒中另外的猎取者,不论他是人还是兽。

泰山的行动非常敏捷,他居然从一头盛怒的狮子的嘴里,夺下了一只肥美的羚羊来。那只羚羊,狮子本来是打算自己享用的。泰山把猎物抢到手,扛在肩上,还有意逗弄一下那狮子。他轻轻一耸,跳到了一棵树上,对着发愣的狮子讥笑着,然后,就很快隐没在寂静森林的夜色中了。

当泰山摸黑回到宿营地的时候,那些腹内已饥饿难忍的瓦齐里武士们,正在望眼欲穿地等着泰山回来。他们对主人信心十足,绝对不怀疑他会胜利归来。终于他们看见泰山扛着一只又大又肥的羚羊回来了,泰山向他们微笑着,他们不禁欢呼着跳起来。

当黑人们在烤羚羊的时候,泰山还在思索着关于死鹿和脚印的事，但是有关这件事，他绝口没有对黑人们提起，免得徒然惊扰他们。

第二天，泰山领着五十个黑人，仍然向奥泊城方向进发。他指引着瓦齐里武士们，从一条他认识的捷径走。他自己却离开了队伍，又去追踪那神秘的箭和脚印去了。他重新又找到脚印的地方，仔细地观察着。没过多少时间，他又发现了闯入丛林者不怀好意的证据。

在离脚印不远的地方，躺着一只大猿，在大猿的肚子上，也发现了一支机械制成的、文明社会里用的箭。泰山自幼在大猿群中长大，对大猿的深厚感情可想而知。看到大猿被杀的可怜样，眼睛里几乎要冒出火来。究竟是什么人胆敢深入他的辖地，杀死泰山引为朋友的大猿？泰山不由得从丹田里发出了一声低低的咆哮，马上脱去了妨碍他行动的外衣，现在，他又不像英国的高贵爵士了。

泰山从现场的痕迹上判断出，出事的时间，大约在两天之前。他怒冲冲地、一刻不停地去追踪凶手了。他对这件事，心里有着各种各样的猜疑，但是有一点，他是能够肯定的：他深深了解大猿们，它们除非受到了无端的袭击，否则，它们是决不会主动攻击人的。

泰山带着复仇的怒气，像旋风一样向前追去。离开发现大猿的尸体大约半小时之后，他的鼻子里，已经嗅到大猿的气味了。他知道丛林中的动物，为了自卫，都是十分谨慎的，他很小心地往前走，恐怕它们受了惊吓会四散逃走。他好久没有亲近这些旧日的老朋友了，但他相信，它们中间，一定还有认识他的，如果真

离脚印不远的地方，躺着一只大猿。

遇到一族大猿,那是绝对没有危险的。

泰山在丛莽的密草里,寻找着路径往前走,渐渐接近大猿的聚集处了。他远远看见,那里大约有二十只大猿,聚在一块小的空场上,在寻觅虫子和草根,这些东西都是大猿们喜欢吃的食物。

泰山从隐蔽处观察着大猿们,脸上不觉浮起了愉快的微笑,他躲在大树上浓密的枝叶间,向下窥视着那一小群大猿。他看着它们的一举一动,都能引起自己童年时代那段自由生活的回忆。那时有母猿卡拉保护着他,他随着喀却克一族,在丛林里过着任意逍遥的日子。他仿佛又看见了尼塔和他当年另外的小朋友,而且自己还和它们在一块儿玩耍着。人长大了性情会改变,但是大猿们的性情却是不会改变,不论过去、现在或将来,都是不会改变的。

泰山在树上兴味盎然地看了它们许久,一声也没出,他想,假如它们也能认出他来,那是多么愉快的事啊!因为在丛林中,泰山不但是它们的朋友,还是它们的保护人。泰山终于下去了,情况却不像他想象的那么好,它们乍一看见泰山的时候,都对他咆哮着,想要恫吓他,因为大猿不大有长期的记忆,它们对泰山,很少有不易忘记的印象。泰山还没有走近空场,它们已经张牙舞爪,把泰山包围在中心了。后来,它们凭着嗅觉,终于辨别出了泰山是自家人,它们有一阵时间目瞪口呆了。但是大猿的心里还是有疑虑,它们对泰山仔细地嗅着,或者用它们发硬的手指,拍拍泰山的肩膀。

等群猿抬起头来观看泰山时,泰山就用一种和蔼的声调向它们说:"我就是人猿泰山,是丛林里的战斗能手,同时,也是大猿们的朋友,泰山这次来,对你们是友好的。"他一边说着,一边跳到了空场上。

一群大猿听到泰山报出名字来,立刻引起了一阵骚乱。母猿们抱着小猿,向空场的四边乱跑,边跑还边叫,那恐惧仓皇的样子,好像有什么大难临头了似的。

泰山高声叫着说:"喂!你们不认识我了吗?我是人猿泰山,是大猿的朋友,母猿卡拉是我的母亲,我是喀却克族的王啊!"

泰山以为这样一说,它们一定会围拢来亲近自己了,哪知情况还不是这样,其中有一只老猿怒声地咆哮着:"我们认识你,就在昨天,我们还看见你正在杀死戈布。快走开,要再待在这里,我们会杀死你的!"

泰山说:"你们一定是认错了人,我没有杀死过戈布。昨天,我也看到过一只大猿的尸体,我正是循着凶手的脚印追来的,没想到却碰到了你们。"

那老公猿说:"你撒谎!我们看见你杀死它的。快走!不然,我们就杀死你!你现在已经不是大猿的朋友了。"

泰山听了这话,皱着眉头站在那里,他知道这下误会已然很深了,很难一下子解释清楚。因为现在它们产生了很强烈的误解,它们确信亲眼看见泰山杀死了它们的同伴,在它们眼里,白人大概都是一个模样的,这怎么说得清楚呢?泰山一时也想不出更好的办法来,又环顾了一下猿群,努力想让它们相信,说:"戈布真的不是我杀的,你们再仔细看看,你们群中,一定有很多是认识我的。你们要相信,我不会无缘无故地杀死任何动物,除非两头牛拼死决斗，怎么都阻止不住，一定要闹到两败俱伤的时候，我才会迫不得已杀死它们当中的一个，但凡有办法把它们阻止住，我是决不会杀死它们的。丛林里所有的动物，尤其是大猿，都是我的朋友，我人猿泰山终身都是大猿的朋友。你们想想，我有什么理由要杀死自己的朋友呢？"

那老公猿回答说："你说那么多也没有用，我们只相信我们看到的事实。是我们亲眼看见了你杀死戈布的。我再说一遍，是我们这一群都亲眼看见的。快滚开！否则我们就真要杀你了！不管你人猿泰山有多大的本事，说什么也抵抗不了我们这一群的力量。我是这一族里的王！快滚！不要等我们要杀你了才走！"

泰山想尽办法，要它们相信自己，但是这一群大猿无论如何都不肯信，它们一口咬定泰山就是杀死戈布的凶手。最后，泰山不想和它们闹事，如果真打起来，即使泰山手下留情，它们群中也会有几头大猿要受伤的。泰山实在无计可施了，只好垂头丧气地回去。但是他暗暗下了决心，一定要找到杀死戈布的凶手，他非常想知道，到底是什么人，竟敢大胆闯入了他的终身领地。

泰山沿路找去，看到一群人杂乱无章的脚印，其中大多数是赤脚的黑人的，其中也有穿皮鞋的白种人，偶然还发现有女人和小孩的脚印。那脚印是沿着山脚下走的，这座山，已经是奥泊城的屏障，也就是说，翻过了这座山，就到了奥泊城了。

泰山此时的心里，似乎已经忘了此行的真正目的，他心里只有一个想法，就是要找到那伙闯进丛林的人，更需要查明杀死戈布的凶手。泰山怀着这个目的，只顾自己朝前走，紧紧追踪着神秘的脚印。他认真运用在丛林中生活的经验，这群人在前面走着,和自己的距离,大约有半天路的光景。如果他们也是去奥泊城的话,也许他们已经到了奥泊城的山脚下了。除此之外,泰山再也想不出他们到这个地方来,还会有什么别的目标。

泰山的行踪,始终没有离开过往奥泊城去的路。他敢断定除了自己之外,不会有另外的白人知道这座大西洋遗民的废城,当然,这得除了琴恩和杰克。而奥泊城的四周,被草丛密封,人迹罕至,为什么会有人引着一大群人,到这个蛮荒的地方来呢?

泰山一直跟着足迹走去,心里始终在不停地思考着。到了晚上,天色完全黑了,但泰山凭他敏锐的眼光,仍能清楚地看到地上的脚印。同时,他的嗅觉也让他不难找到地上的脚印。就在这时,他意外地看到前面远处有帐篷,帐篷里面还隐约闪烁着灯光。

五
决定命运的一口

在泰山非洲的庄园里，自从泰山走后，无论是室内的日常生活，还是室外田园里的耕作，都和泰山在家时一样，一如既往，没有丝毫改变。杰克有时随着农夫一起下田，有时也骑着马随牧人一起去放牧。也有较少的时候，他一个人单独行动，但大多数时间，他都是和白人总管杰维斯在一起。或当琴恩兴致好的时候，杰克也陪着母亲骑马出游。

杰克训练扎得巴尔查，和泰山的方法不一样，他总是用一根皮鞭。因为他还不能像父亲那样自信，对于训练金毛狮，他感到没有十足的把握，深恐金毛狮一旦离开主人，会窜到丛林里去，又恢复它野蛮的天性。假如任一头狮子在森林里闲逛，对人类肯定是一种威胁。扎得巴尔查自幼在人的喂养下长大，倒是从来不怕人，也不咬人的，但是每次命令它猎取动物的时候，它总是习惯于对准猎物的喉管一咬。万一金毛狮跑出去，没有人管束它，在丛林中自由行动起来，杰克总觉得这是件危险的事。

在泰山出发一个星期之后，有一封从内罗毕发来的电报，是发给琴恩的，说琴恩的父亲在伦敦病得很重。琴恩立刻和儿子商量这件事。泰山还要等一个半月以后才能回来，如果派人去追他，一来一回，最快也要半个月。如果琴恩等泰山回来再走，深恐见不到父亲最后一面了。就是现在马上动身，一点儿也不耽搁，都不敢保险一定能见到，因为电报上说已经病危了。所以，琴恩决定立刻动身。杰克送她到内罗毕，然后回到非洲庄园来，代替父亲管理庄园，等父亲回来。

从泰山的庄园到内罗毕，路程并不短，大约在泰山走了三个星期之后，杰克都还没有回来，恰好在这个时候，庄园里却出了一件大事。

有一天，一个黑人正在给扎得巴尔查喂食物，同时，也顺便给金毛狮打扫笼子，但他却忽略了一点，忘记了把门闩死。金毛狮在黑人开始给它打扫笼子的时候，非常驯顺，听凭他去打扫，因为这个黑人天天喂它，也已经处熟了。那黑人也不怕金毛狮，有时还和狮子嬉戏玩耍，用自己的身子压到狮子身上去，扎得巴尔查也从不恼怒。黑人正在收拾笼子角落的时候，金毛狮忽然发现笼门是半掩着的，这可是从来没有的好事，它多想自由自在地出去玩玩啊！于是它用爪子推开了那扇门，当黑人吃惊地转身看时，它已经轻轻一跳，跳到笼外的地上了。

那黑人这一惊可非同小可，他立刻失魂落魄地喊起来："回来！扎得巴尔查！你给我回来！"一边喊一边在后面追金毛狮。可是扎得巴尔查好容易得到这么一个撒欢儿的机会，后面喊它的又不是泰山，它怎么肯回来呢？只装作什么也没听见一样，放开脚步，跳着跑了。一转眼的工夫，已经越过了篱笆，向着丛林里跑去了。

那黑人见金毛狮跑了，一下子慌了神，顾不得放下扫帚，赶紧去追，一面追还一面大叫，在屋子里的瓦齐里人，听见叫声，都从屋里出来，等弄明白了是怎么一回事，也都跟着追金毛狮。他们追过平原，想办法引诱狮子回来。谁料到，他们越追，狮子跑得越快了，对于黑人的连哄带吓，它根本不予理睬。到后来，黑人们跑得上气不接下气，只好瞪着俩眼，看那金毛狮跑进丛林里去了。黑人们又叫上一些人，大家都到丛林里去找。一直找到天黑，那么大一片森林，连金毛狮的影子也没看见，大家只好垂头丧气地回到庄园来。

那个喂狮子的黑人，背着放跑了狮子的罪名，简直像背着个沉重的包袱，整天愁眉不展。见人就问："大宛那要是回来，我可怎么对他说呢？他若知道了是我放走了他心爱的金毛狮子，他将会怎么样责罚我呢？"

老仆人伟万里对那个喂狮子的黑人肯定地说："基瓦兹，你闯了这么大的祸，你会被永远驱逐出庄园，这还用问？还有更可怕的，那就是把你送到东边草地上去牧羊，那儿有许多狮子，用不了多久，你就会成为狮子的口中食！那些狮子，可不会像扎得巴尔查那样，它们可不会跟你讲什么友好的。你向主人报告这件事的时候，若是正好碰到大宛那生气，这种事我老伟万里见得多了，他也有可能像别的白人一样，把你打个皮开肉绽，连站都站不起来。你若不赶快认错求饶，恐怕连命都会丢呢！"

那个黑人无可奈何地回答："我是一个瓦齐里武士，是我自己做错了事，无论大宛那怎样责罚我，我都得像个男子汉一样承受下来。"

那天晚上，泰山看到前边远处有陌生人的帐篷，就向亮着火光的帐篷悄悄走去。他估计，这些人恐怕就是自己日夜跟踪要找的人。帐篷内外没有一个人发现泰山，他蹲伏在营地上的一株大树上面，四周有浓密的枝叶遮挡着他。他往下仔细看，见营幕的四周围着篱笆，里边点着几个火堆，把周围照耀得很亮，有些黑人正往火堆里添柴。在营地中间，有几个帐篷，在一个火光照得很亮的帐篷前，坐着四个白人。两个是高身量的大汉，粗脖子，脸上红红的，一看就知道是英国的下等人，第三个是矮胖子，像是犹太种族的日耳曼人，第四个是他们中最年轻的一个，身材瘦高，棕色的头发，倒有几分少年英俊的样子。他和日耳曼人的打扮一样，是非洲中部的游猎装束，好像是从电影上看来的，穿戴得有点怪模怪样的。看那个最年轻的，不像是个英国人，泰山用锐利的目光，在他脸上凝视了一会儿，觉得他好像是斯拉夫民族。泰山又看了一会儿，只见那个年轻人站了起来，走到附近的帐篷里去了。泰山仔细听帐篷里面，有咕咕哝哝地低语声。他听不清楚他们说些什么，但是分明能听出，在帐篷里说话的，有一个是女人。剩下的三个人，仍坐在火堆旁闲谈着。正在这时候，丛林里传来了狮子的怒吼声，打破了森林里的寂静。

那个矮胖的犹太人，听到狮子的吼声，吓得从地上跳起来，没留神，这一跳用力过猛了，一只脚绊在柱子上，他仰天摔了个大跟头，身不由己地滚出了一尺多远，四肢伸开地躺在了地上。

他的一个伙伴，没好气地说："真他妈的，布鲁伯尔！看你那副脓包相，能干得了什么大事？一声狮子叫，还远着呢，看把你吓成这副丑态。你要再这样，我非扭断你的脖子不可。"

另一个人却怒吼着说:"呸!你别看他现在这副样子,到有利可图时,他比狮子还凶呢!"

布鲁伯尔在地上连滚带爬地说:"哎呀,我的上帝呀!"他吓得怪叫着,声音都发颤了,"我怕那狮子真会跳过篱笆来呢!只要能躲过这一灾,我情愿一辈子不到这个鬼、鬼、鬼地方来,若不是为了非洲的黄金,我决不会来的,也不会花这三个月的苦工夫。今天遇见狮子,以后谁知还会遇见什么呢?狮子、豹、犀牛、河马,我的天,这里什么可怕的东西没有啊!"

他的同伴看他吓得这副屁滚尿流的样子,都不禁哈哈大笑起来,其中有一个说:"我和瑟洛克一开头就对你说过,你是根本不配到内地来的。"

布鲁伯尔被他们嘲笑得哭兮兮地说:"可是我图什么呀,我不还特意买了这套衣服吗?天哪,这套衣服你们以为便宜吗?它花了我二十个基尼呢。如果我早知有现在,我情愿花一个基尼去买一条皮鞭。穿着二十个基尼买的漂亮衣服,今天晚上也只能喂狮子了。唉!"

他们中间的另一个人说:"滚你的,你早该到地狱里去了。"

布鲁伯尔说:"看看,花二十个基尼买的漂亮衣服,走到这个地方也弄得又脏又破了,我真不知道怎么会弄成这样的。闭起眼睛来,我还记得在王子剧院里看戏,演员演的那个好汉,用了三个月的工夫在非洲打猎,到戏演完的时候,他的衣服上,连一个泥点都没有。我怎么会知道非洲这么脏,非洲有这么多荆棘?"

泰山就在这个时候,从树上跳下来,快步走到火光能照到的地方。那两个英国人吓得直跳起来,布鲁伯尔也忘了刚才狮子叫的事,爬起来就想逃跑,但当他看见泰山的脸时,立即就停住了脚步。先前他没看清是什么人,只是冷不丁从树上跳下一个人来,把他吓蒙了,现在,他镇静下来了。他带着德国腔高兴地失声大叫道:"天哪!埃斯特本!你怎么回来得这么快?怎么,金子呢?你怎么这样就回来了?你是不是以为我们都紧张死了?"

泰山满面怒容地瞪着他们,他不明白,这些人凭什么没有得到他的允许,竟敢冒昧地闯进了他的领地,破坏这里的秩序和安宁。他一生气,额角上旧日的伤疤,就又变成红色了。他在小时候,跟大猩猩战斗时,额角曾被大猩猩的利爪抓破过,也就是在那一次,泰山才发现了他父亲遗留下的那把刀子的功能。记得泰山得到这把刀的时候,他还只是一只小白猿,但就在那时候,丛林里的野兽,已经敌不过他了。

泰山半闭着灰色的眼睛,冷峻而又沉着地问道:"你们是什么人!竟敢闯入瓦齐里这块地方?你们知不知道,这里是泰山的领地?没有得到丛林之王人猿泰山的允许,是不准侵入的?"

有一个英国人问:"埃斯特本,你别吓唬人了!你装腔作势地说什么废话?快告诉我们,你在那个洞窟里都干了些什么?怎么这么快就回来了?怎么就你一个人?那些搬运夫呢?黄金在什么地方?"

泰山眼睛直视着那个问话的人,静静地看了好久,才说:"我是人猿泰山,我不懂你在说什么。我是来找杀死大猿戈布的凶手的,还有射死那头鹿的凶手。哪一个没得到我的允许,就跑进来偷猎了?"

另外的那个英国人又叫起来:"埃斯特本,你太过分了,别开玩笑了！只有你自己把肉麻当有趣,我们却一点儿也不觉得你这个玩笑有什么好笑。"

方才泰山在树上时,看见第四个人走进帐篷中去了,从他们说话的声音,已经知道帐篷中有一个女人。这时这个女人,正吓得推开她同伴的手,指着高大的泰山,她已经吓得说不出话来了,她清清楚楚地看到,泰山就站在火堆的前面。

过了半天,她定了定神,才牙齿打战地低声说:"我的上帝,克赖斯基!你快看,怎么怕什么就遇见什么呢!"

克赖斯基不明白她为什么会吓成这样,问道:"弗洛兰,你说什么呢?我看见的只是埃斯特本哪。"

弗洛兰说:"你没认出来,这个人不是埃斯特本,他是格雷斯托克爵士,也就是我跟你们说起过的人猿泰山啊!"

克赖斯基不信,说:"你看花了眼吗?弗洛兰?他怎么会不是埃斯特本呢?"

弗洛兰非常肯定地说:"艾斯特本假扮的就是他,站在火堆前的决不是埃斯特本,一定是泰山。你不知道我在他伦敦的府邸里混过好几年吗?你不知道我以前天天都见到他吗?你看他额角上那块红疤,埃斯特本是决不会有这块疤的。爵士曾经对我讲过他这块疤的来历,并且,我也曾多次看见过,每当他生气的时候,那块疤就会变红,而且会鼓出来。你看!就和现在的情形一样,现在,人猿泰山在大怒了,我们闯了大祸了!"

克赖斯基又问:"我还是不明白,就算他是人猿泰山,那又怎么样呢?"

弗洛兰说:"你不知道格雷斯托克爵士是个大有来头的人,

你不明白他在这块土地上所拥有的权力,他拥有着这块领地上人和兽的生杀予夺之权呢!如果你知道他的来历,你就会明白,犯在他手里,我们之中,没有一个人能生还到海岸上去的。现在,他既然已经来了,就一定要追问我们一个究竟。现在,如果没有上帝救我们,我们就只有,只有……"

克赖斯基也急了,追问道:"只有怎样?"

弗洛兰沉吟了一会儿,说:"看来只有一个办法了。咱们是不敢动他的,如果那样,他手下忠心的瓦齐里黑人早晚会探听出消息来。到那时候,世界上就没我们立足的地方了。现在我倒想出了一个办法,我看也只有这一条路可走了。我们必须马上动手!"说着,她转身就到行李袋里去摸什么,克赖斯基见她从行李袋中摸出来一个装着液体的小瓶。她对克赖斯基说:"现在你快出去,跟他客客气气地交谈,装作和他交朋友的样子。你要随机应变编些谎话,要想尽办法和他套近乎。随便他要什么,都可以答应他,满足他。聊到一定程度,你就请他喝咖啡。他是不喜欢喝酒的,就连掺了酒精的饮料都从来不喝。我在他府上多年,知道他是喜欢喝咖啡的。那时候,我常常在深夜里到他房间里去,他有时候从戏院回来,或从舞会上回来,这是他最需要咖啡的时候,我就端咖啡给他。你是个聪明人,自然明白我手里这只瓶子的用处了。"

克赖斯基点点头说:"我明白了。"他从弗洛兰手里接过瓶子,转身就要往外走。

克赖斯基刚走了一步,弗洛兰又把他叫住了,对他叮嘱道:"千万别让他看见我,也不能让他知道我在这里,也不要对他说出你是认识我的。"

克赖斯基点了点头,就走了出去,走到被火光照亮的帐篷前面,满脸堆着笑容,迎着满腔怒火、隐忍未发的泰山。他说:"欢迎!欢迎!欢迎生客光临我们的营地,请坐。布鲁伯尔!快给客人拿一条板凳来!"

泰山看了看克赖斯基,他认出这个人是自己刚才看见的四个人当中的一个。他并没有因为克赖斯基的一套客气话,而露出友好的表示,泰山根本没有理睬克赖斯基的话。就这样僵持了片刻工夫。

泰山突然开口说:"我已经找你们好多天了,我要弄明白你们这一帮人到这里来究竟要干什么。"他十分严厉地对这个俄国人说道:"刚才你们好几个人都反复说我是什么埃斯特本,我也可以明白地告诉你们,我不是你们说的那个人。据我看,你们这一群人即使不是笨蛋,也不会是什么好东西。我一定要查出你们的底细来,然后自有办法对付你们。"

克赖斯基谨记着弗洛兰的话,满脸赔笑地对泰山说:"您刚才说的话,使我觉得我们之间一定是有什么误会,这一点,我几乎可以确定。但是,您能不能告诉我,您是谁?"

泰山仍然板着脸说:"我是人猿泰山。没有得到我的许可,任何人都不能到非洲我的领地来打猎,这是任何人都知道的。你们经过海岸时,我想,必定会有人关照过你们了。你们为什么要明知故犯?请你立刻回答我!"

克赖斯基装出一副很诚恳的样子说:"啊!你就是人猿泰山啊!格雷斯托克爵士,久闻大名了。这下好了,我们遇见你真是幸运,现在,我们可以在你的指引下往前走了,这样,就可以改变我们进退两难的困难处境了。先生，我们是迷了路的。原先，我们雇了一个向导，也许他有意捉弄我们，把我们给他的报酬骗到手之后，就丢下我们，偷偷溜走了，我们自己东撞西撞的，已经有好几个星期了。原来你就是人猿泰山先生，恕我们不认识，你在这一带是远近闻名的人。我们实在不是故意闯入你的领地。我们这次到这儿来，是希望搜集一些南方动物的标本。为了这件事，我们的这位朋友，也就是这位老板，布鲁伯尔先生，已经下了一笔不小的本钱了。因为他打算把标本拿回美国，在他故乡的一个博物馆里陈列出来，这就是我们此来的目的。我想，话不说不明，现在，我已经把情况向你说明了，你一定会给我们指引一条正确的道路的对吧？"

皮勃勒斯、瑟洛克、布鲁伯尔都被克赖斯基这一套鬼话给弄糊涂了。但是这一次，那个德国人布鲁伯尔，倒还有几分机灵，他已经领会了克赖斯基的意思，那两个英国人的脑子，实在太呆板了，竟一点儿也没明白克赖斯基在耍花样。

油光满面的布鲁伯尔这时也站了过来，把手指插在一起说："是呀，先生！他说得一点儿也不错，我也正想告诉你这些话呢！"

泰山趁他不防，陡地转过身来问："你们刚才口口声声说的埃斯特本是谁？难道你们是用这个名字来称呼我的吗？"

布鲁伯尔鬼点子倒也来得快，他马上叫着说："这可又是误会了，让我来解释，我们这位皮勃勒斯先生从来没来过非洲，他对非洲毫无了解，他以为你是当地土著人呢。我们这位皮勃勒斯先生，管所有的土著人，都叫埃斯特本，我们跟着他开玩笑，也就这样叫了，反正那些土著人也听不懂他说的话。皮勃勒斯，你站出来说一说,我说得对不对？"

那老奸巨猾的布鲁伯尔,向皮勃勒斯望过去,一眼就看出这位仁兄还没明白,还在一脑袋糨糊,一开口准会坏事,就干脆不等皮勃勒斯回答,赶紧又抢着说:"你看,我们确实是迷路的,假如你能带我们走出丛林,我们一定重重谢你,随便你要什么,我们都答应。因为命比什么都要紧哪,我们困在这里会丢了命的。"

泰山将信将疑,听他们这一番话,似乎有点道理,又看他们脸上不带恶意的样子,他的怒气也消下去了一些。他心里暗暗想,这些人也许真是迷路的。又一转念,还是不要轻信,不如找他们当挑夫的土著人问问,就可以知道真实情况了。不过,这件事最好让自己手下的瓦齐里人去做更合适。对于他们把自己误认成埃斯特本这一点,毕竟是个疑问,同时他也没忘记要查寻杀死大猿戈布的凶手。即使这群人真是迷路的,也不能证明鹿和大猿不是他们杀的,除了外来人之外,当地土著人不会用那种特制的箭。

克赖斯基忠实地执行着弗洛兰的命令,他非常殷勤地对泰山说:"泰山先生！请坐！我们出门在外,没有好东西招待你,咖啡却是有的,就请喝一杯吧！如果有什么得罪你的地方,我们一定赔偿你的损失。"

泰山本来就有晚上喝咖啡的习惯,所以就没加警惕,心想,喝一杯咖啡,也没什么。于是他席地而坐,盘起腿来,坐在了火堆前面。熊熊的火光,照着他的身姿,天生来有一股威严的气派。

瑟洛克、皮勃勒斯、布鲁伯尔也坐在火堆前,眼睛不时看看泰山,克赖斯基走开去煮咖啡了。那两个英国人,心里完全拿不出主意，布鲁伯尔虽然知道克赖斯基在捣鬼，但也不知道他下一步究竟要干什么。他只知道坐在旁边的这个人，是人猿泰山无疑了，心里不免担惊害怕。他虽然坐在那里没有动，心里却着急得要死，他生怕泰山妨碍他们到奥泊城去偷黄金，如果金子拿不到手，他的两千英镑，岂不是打了水漂？但他毕竟还不像弗洛兰那样，并不知道自己的生命有什么危险，也不知道人猿泰山是丛林之王，有多么厉害的本领。他现在念念不忘的，就是他那两千英镑的本钱，若是白花了，真是比割他的肉还疼呢！他心里正十五个吊桶打水——七上八下的时候，幸好克赖斯基托着咖啡出来了。

在帐篷中的黑暗角落里，弗洛兰偷眼看着外边的情况，她简直吓得在发抖。她非常怕她的旧主人看见她。她曾经在格雷斯托克爵士伦敦的府邸里当过用人，也跟着夫人到非洲的庄园上来过，假如现在被泰山看见了，一眼就会认出她来。她曾经听见泰山讲过关于奥泊城金库的事，她也梦想发一笔横财，于是存了一个野心，打算有朝一日也到奥泊城去偷金砖。她运筹帷幄了好久，才网罗了一帮人，决意实行这个计划，准备让自己一生享用不尽。

她定好计划之后，第一个就物色了克赖斯基，由克赖斯基再去说动两个英国人和布鲁伯尔，然后他们就筹措经费。弗洛兰始终想找一个能假扮泰山的人，才可以到泰山所管辖的地区里去。于是他就找到了埃斯特本，他是个健壮魁梧的西班牙人，而且又是个演员，化装和演技都是他的内行事，他可以惟妙惟肖地假扮人猿泰山，不会露出半点破绽。

埃斯特本不仅勇武有力，而且精力充沛，自从他剃去了胡领,在弗洛兰的指导之下,改扮成丛林装束的泰山之后,他的言行举止,刻意地模仿着泰山。当然,他也有学不到的地方,譬如泰山那一套在森林里应付一切的本领,光凭他的演技,当然是不行的了。每逢他遇见丛林里比较凶猛的野兽时,这可是要动真格的了,他都是尽力避开,免得送了命。他也学着摆弄泰山常用的武器,除了练习用长矛和弓箭之外,还专心学习了草绳的用法。这些,都是他必不可少的道具。

弗洛兰心里非常明白,她的全盘计划中,只要任何一步出了差错,就会完全失败。这时,她全神贯注地看着火堆旁的人,不免有点心惊肉跳。她从心眼里害怕泰山。这时他看到克赖斯基一手拿着咖啡壶,一手端着咖啡杯,又看着克赖斯基不慌不忙地倒了一杯咖啡递给泰山,她暗暗地捏着一把冷汗,为克赖斯基担心。她深知泰山是个机警的人,他会不会怀疑呢?他会喝吗?假如他真的起了疑心,发现咖啡里有人做了手脚,那么他们这一伙人一个也逃不过,可都有"好果子"吃了!想到这儿,她的心都快蹦到嗓子眼儿来了。她看见克赖斯基又给皮勃勒斯、瑟洛克、布鲁伯尔各倒了一杯咖啡,最后他自己也拿起了一杯,回到座位上。这些动作都做得稳稳当当,滴水不漏。他看泰山没有急于要喝的意思,就又恭恭敬敬地站起来,举着杯子,向泰山鞠了一躬,敦请客人饮用,然后五个人共同举起了杯子。这时弗洛兰实在紧张到了极点,几乎全身都瘫软了,她转过身去,倒在了吊床上,两只手捂着脸,全身发抖地躺在那里。

这时,在帐篷外的人猿泰山,恰巧喝完了他杯中的最后一口。

六
死亡悄然而至

就在泰山发现这群人营地的那天下午,在奥泊城上守卫的哨兵望见了有一群人,远远地从山顶上向奥泊城这个方向走来了。在这之前,只有泰山、琴恩和他们带领的瓦齐里黑人到奥泊城来过,城里几个年纪大的人,曾经在山谷里见过他们,除此之外,只有在早年之前的传说里,听说有生客到奥泊城来过。奥泊城里的人,所以会退化成今天这个样子,就是因为他们祖先居住的陆地,沉没到大西洋里去了,有一部分幸存下来的人,被遗弃在这里,后来渐渐与猩猩或人猿通婚,才成了现在这种半人半兽的样子。那个在城上守卫的士兵的面貌,就是一个非常典型的代表。他的身材既矮又胖,胡须长满了脸,在他低凹的额角上面,覆盖着像乱草一样的头发;两只小眼睛挤在一起,简直成了一条直线;嘴里长着一副像狗一样的牙齿;他的腿虽然是短短的,但看起来似乎很有力,两条手臂却像人猿的样子,长得几乎触着了地面,而且手臂上长满了一层细细的毛。可以明显地看出,他的身体发育不全。

那哨兵看见了有一群人穿过山谷,向奥泊城走来了,他立即警惕起来,连呼吸都急促了,同时发出类似人猿的低吼声。他远远望去,这群生人还离得太远,所以无法看得十分清楚,只能分辨出是一群人罢了。据他估计有几十个。那哨兵当时就跑下城墙,向城里奔去,一口气跑到那既庄严又华丽的庙宇里。

奥泊城里的总祭师卡杰,这时正盘着两条腿,坐在大树荫凉处,这株大树很大,它的枝叶覆盖着古庙园里的一部分。卡杰的旁边有十几个祭师,都是他的心腹。他们看见守卫城墙的哨兵,气喘吁吁地猛然奔进来,都吓了一跳。那哨兵跑到卡杰面前,上气不接下气地大声说:"卡杰!有生人往奥泊城这边来了,他们是从西北方向的山谷里穿过来的。看起来,至少有五十个人,现在已经进了山谷了。还不知道他们后面是不是还有人。我清清楚楚地看见了他们,因为我正在守卫。我只能分辨出他们是人,他们的面貌可看不清楚,因为距离太远。自从上次的那个大白猿来过之后,还没有生人来过奥泊城呢!"

卡杰说:"那是好久之前的事了,我记得那个大白猿,自称叫人猿泰山。他曾经说过,在雨季到来之前,他要再来看望兰一次,但他没有来,我们认为他死了,兰也说他一定死了,不然,他不会爽约的。你把你刚才看见的事,对别人说过没有?"他看看那个来报告的哨兵问道。

哨兵回答说:"我一看见那群人,就直接奔这儿来了,还没有对其他人说过。"

卡杰听了似乎很满意,说:"好!你暂时不要对任何人说。走!我们大家到外城墙上去,看个仔细,去看看到底是些什么人,敢胆大妄为地闯到奥泊城的禁地中来!"

有一个祭师轻声地说:"我看这件事,应该去通知兰一声。"

卡杰转过身来,对那个祭师怒目而视,说:"告诉她干什么?我是奥泊城的总祭师,谁敢干涉我的行动?"

那个祭师仍嗫嚅着说:"可是,兰是女主教,又是奥泊城的女王啊!"

卡杰发火了,说:"我不管那么多,我只知道总祭师操有生杀大权!"

其他祭师说:"那么我们就悄悄地去,别让更多的人知道。"

卡杰高声喊着说:"好!"于是领着众人走出庙宇的园子,经过庙后的走廊,往奥泊城的外墙上走去。站到城墙上,恰如刚才那个哨兵所说,能够望见有一群人,正从山谷中朝这里走来。祭师们都发怒了,发出像大猿一样的咆哮,同时用大猿的语言交谈着。他们的话里,绝大部分是大猿的语言,里面也混杂着少数的原先大西洋民族的音调,这恐怕是他们祖先的语言遗留下来的痕迹。他们祖先往昔的城市和文明,都被沉埋在大西洋澎湃的波涛之下了,他们原先到非洲来,是为了开拓疆土,寻找黄金的,于是在这里建筑了这个模仿他们家乡式样的城市,这就是现在还留在这里的这座雄伟的奥泊城。

卡杰和跟在他身后的那一群祭师,走到外城墙上,遥望见确实有一群人,在烈日的暴晒下,正越过荒凉的山谷。奥泊城里的人,只顾往城下看了,却没注意有一只灰色的小猴子,正在偷偷地凝视着他们。小猴子躲避在林子里枝叶浓密的树上,紧紧跟在这群祭师的后面。小猴子很害怕奥泊人的残酷,但是它又抑制不住自己的好奇心,它非常想知道这群人急匆匆地到底要去干什么,所以它始终不肯离去。后来,它为了看个究竟,索性从树枝上跳到城墙内，然后再绕道过去，轻轻地跟在他们后面，找到了一块倒坍了的大花岗石，它正好躲在那里，非常安全。它可以从藏身的地方清楚地偷听到奥泊人的谈话。这时，城里的一群人，已经能比较清楚地看到城外的来者了。其中有一个眼神好的年轻祭师，忽然兴奋地高声叫起来："我看清楚了，卡杰！领头的就是那只大白猿，那个自称叫人猿泰山的家伙！一点都不错，就是他！我能清楚地看见他了，除了他一个之外，其余的全是黑人。他们好像是从大老远的地方来的，一个个都很疲乏了，但泰山还拿着长矛，催促他们前进。"

卡杰似乎还没看清楚，一迭连声地问："你没有看错吗？他确实是人猿泰山吗？"

那年轻祭师回答说："没错，我的确看得很清楚。"旁边另一个祭师，也插嘴帮他证明来者确实是泰山。后来这群人越走越近了，卡杰自己也看见了人猿泰山，率领着一队黑人，正朝奥泊城走来。卡杰看到这个自己深恨的人又来了，勾起他一肚子不高兴，他突然转过身来，对他身后的祭师们喊道："绝对不许泰山进来，一定不许他踏进奥泊城一步。去，你们谁赶快去叫一百个战士来，趁他们还没进城，把他们全部歼灭在山谷里！"

刚才在庙宇里主张向兰去报告的那个祭师，这时又高声说："假如女主教兰知道了这件事，我们怎么向她交代？我记得好几个月之前，兰还曾经对人猿泰山表示好感，人猿泰山曾经把兰从猛兽的利爪下救出来，兰把奥泊城的友谊献给过他。"

卡杰大怒地咆哮道："不许多嘴！绝对不能让泰山进来，我们一定要把他们全部歼灭，任何一个都不准留！快点行动，晚了就来不及了。你们听明白了没有？谁要敢违抗我的命令，我就先杀了他！你们都听见了吗？"他伸出肮脏的手指，指着那个已经吓得发抖的祭师。

那只小猴子完全听懂了卡杰的话，它又着急又害怕，因为它认识人猿泰山。它跟全非洲的猴子一样，都认识人猿泰山，他不但认识人猿泰山，而且还把泰山当作朋友和保护人看待。小猴子对奥泊城的人，有特殊的看法，认为他们不纯粹是兽，但也不纯粹是人，反正是不能拿他们当朋友看待的。它知道奥泊城的人是一种残酷的动物，他们常拿小猴子的肉当饭吃，猴类和他们，可以说是有世仇的。它听见他们说要杀死人猿泰山，觉得这可是件大事，它不能不管。它摇摇灰色的小脑袋，又摇了摇尾巴，然后收缩了一下肚子，似乎在表示他准备把听到的消息，收进肚子里，藏进脑子里，打定主意，要去救人猿泰山。

这时，已渐渐接近黄昏了，卡杰忽然看见一只小猴子在城头上一闪，就不见了，卡杰并没有在意。他蹲在那里，一心一意等他的战士们到来。原来，在奥泊城的四周，有成千上万只小猴子，那些小猴子跳来跳去，时隐时现，这本来是奥泊人司空见惯的事。现在见一只小猴子一闪，在卡杰眼里，并不觉得有什么可疑。奥泊城里的人谁也不会料到，这小猴子连蹿带跳地穿过了山谷，迎着那队向奥泊城走来的人，去通风报信了。这时候，那队人已经走得很近了，已经走到离城大约只有一里的地方，正在一块大岩石下休息。

那小猴子竖起了尾巴，一路上跑得飞快。它的两只小眼睛，滴溜溜地乱转，对上下左右都在戒备着。它爬上了一块大的花岗石,这块石头四面像刀削一样的平滑,只有善于攀援的小猴子,才能爬得上去。它在石头上面缓了一口气,静静地听了一下,又跑到石头的一边,向下看,因为从这个地方,正好俯瞰山下来的一群生客。

小猴子仔细地端详着,来的好像确实是大白猿泰山,跟着泰山的,还有五十个黑人。它看那些黑人,把许多根又粗又长的杆子平行地摆列在地上,然后每根首尾之间都绑牢,使它成为两根更长的杆子。小猴子不懂他们在干什么,就好奇地仔细看着。只见他们在这两根平行的长杆中间,每隔一小段距离,就绑上一根短的横杆,实际上,这些人是在做登城的云梯,这一点小猴子当然不懂。原来,这个主意也是弗洛兰想出来的,她想让她的手下人利用这种长梯,能够更快更顺利地爬上山顶,可以直接进入奥泊城金库的洞口。小猴子当然不懂这些人的意图,它只一心想着人猿泰山有危险,它非得去救他不可。小猴子在石头上喘息了一会儿,就开始用它认为能和泰山沟通的语言,高声叫着:"泰山!泰山!"

泰山和他率领的黑人,似乎听见了小猴子的声音,都向小猴子望去。小猴子又继续向他们说:"泰山!我是小猴子,我是来通知你一件重要的事情的。你千万别到奥泊城去,总祭师卡杰和他的武士们,都在城外等你呢,你去了他们会杀死你的!"

那群黑人见是一只小灰猴在叫,就仍旧干他们手里的活儿,没有理它,奇怪的是连这个泰山,也同样不理睬它发出的如此重要的警告。这小灰猴对黑人的漠不关心倒不奇怪,它知道他们听不懂,可是怎么泰山对它也糊里糊涂地不理不睬呢?他可从来不这样啊！这可真让小猴子莫名其妙了。它不厌其烦地、一次又一次地喊着泰山的名字，一次又一次重复着对泰山的警告，奇怪的是这个泰山不知是怎么了，始终也不理它，难道泰山耳聋了吗？小猴子无论如何也弄不明白，为什么泰山会对老朋友的警告置若罔闻呢？

最后，小猴子见自己的喊叫怎么也不生效，只好放弃，不再喊了。但它终究是不放心，于是转过头向奥泊城上有树的那个方向望去。这时天色已经黑下来了，它不敢穿过山谷去，因为它很熟悉这个山谷，有很多野兽都是趁黑夜时，到这个山谷里来觅食，它如果这时穿过山谷，岂不是自找倒霉？它坐在岩石上，一会儿捧着头，一会儿抱着膝，简直想不出一点办法，后来，它不禁低声地哭泣起来。它现在是在一个孤独的处境里，但不管怎样，在岩石顶上还是安全的，因此，它决定就在这儿过夜。它看见黑人们做好了一个长长的带横杠的东西，当月亮升起来的时候，它看见人猿泰山领着黑人，并命令他们爬上了这个长长的东西。小灰猴记得自己曾多次见过泰山，但从来没有见到他这样粗暴过，他对那些黑人竟非常凶恶而残酷。小猴素来了解泰山，他对付敌人，不论是人是兽，一向是很厉害的，但泰山对于自己手下的黑人，又一向是很和蔼仁厚的，他从什么时候起，竟变得如此粗暴而不可理解了呢？

那些黑人一个接一个地都爬上了那个长东西，看他们脸上，似乎都有很不甘愿的样子，可是泰山在他们身后，用长矛逼着他们往上爬。黑人都在前面，只有泰山一个人断后。小猴子看着他们，一个个都进了那个山顶上的大石洞。

隔了一段时间之后,小猴子见他们又都出来了,每个人的肩上都扛了两块沉甸甸的东西。在小猴子看来,这些沉甸甸的东西,好像是和奥泊城里建筑房屋的一些石块是同样的东西。它看见他们把这东西扛到山顶边,就都一块块地扔下地去。一直到最后一个人,也把扛着的东西扔下来了,于是这群人又一个个顺着那个长东西爬下来了。这回,和爬上去的那次不同,人猿泰山却是爬在最前面的。他们都下来了之后,就把那个带横杠的长东西拆了,然后又把从山洞中搬出的石块,扛在肩上,泰山领着这群人,顺着来时走过的路,向山谷那边走回去了。

假如小猴子是一个人,它一定会觉得它所看到的这一串串事,是十分可疑的,可是它只是一头猴子,没有人的头脑,所以看了这些事,不会去思索研究一下。它平时就觉得,人的行动,有些地方实在不可理解。例如这次黑人们干的这件事,就是一个例子,它不懂他们这样大费周折,是要干什么。小猴子平时就认为,在丛林里,黑人们本来就不如野兽来往那样自由,可是他们还偏偏给自己添麻烦,在小猴子看来,这不啻是自讨苦吃——他们要戴手镯脚镯,不但加重了分量,还拘束了手脚;他们还戴着项圈,披着兽皮,绑着腰带,不但不方便,而且把身上的东西,越变越复杂,它不懂这有什么好。如果和行动自如的野兽比较起来,反不如野兽自由自在。小猴子每逢想到这个问题,总不免暗暗庆幸,幸亏自己没有生为一个人,它有时心里真怜悯这些愚蠢的动物——人!

小猴子在这里睡了一会儿,在它自己觉得,好像仅仅合了一下眼睛,可是当它睁开眼的时候,那红色可爱的朝霞,已经铺满了山谷上的天空。在东北角的极远处，它还能看见泰山所带的队伍，那最后一个人，从边界上拐过弯去，看不见了。

现在天亮了，小猴子又想回到奥泊城去，那里城墙的树上，有它一个安乐窝。在去之前，它必须审慎地观察一下周围的情况，唯恐碰见早上出来闲逛的花豹。它来到山岩的边缘处，从这里可以俯瞰奥泊城附近的地面。它往下一看，可着实吃了一惊，它看见奥泊城内的残墙边，有一队可怕的奥泊武士，正在那里行动，一眼望去，估计有一百多人。

小猴子看见那群奥泊人在陆陆续续前进，向着山岩这边走来，但他们没有在山岩下面停住。实际上，这些人没有拿山岩当目的地，经过山岩脚下，又继续往前走了。到这时，小猴子似乎才明白这群人出动的真正目的，它知道卡杰带着这么多武士，一定是追赶人猿泰山，打算把泰山杀死的。昨天，小猴子叫了半天泰山，泰山就是不理它，它一肚子不痛快，今天一看这阵势，它昨天的不痛快，早忘到九霄云外去了。它看出来前边的泰山会有危险，它又像昨天下午一样，心里又急又怕。小猴子起初想，先赶过这群人，追上泰山，把危险报告给他，但他害怕被这群奥泊人发现，连自己也有危险了。它一边思考着，一边在山岩上坐了好几分钟，等这群奥泊人全体都走过了山岩，小猴子看得清清楚楚的，它敢断定这群奥泊武士，确实是朝着泰山那队人所走的山谷走去了，确定无疑，他们是在追泰山！

小猴子望着奥泊城那群人走远了，远得看不见影儿了，这时，是它该采取行动的时候了。它忽然改变了主意，没有去追那群人，反而匆匆地爬下山岩，向着奥泊城的城墙飞奔而去。它何以会如此行动呢？原来，它忽然想到了一条妙计，它认为这样做，比去追那群人的效果好。至于它是怎样想出这一条妙计来的，连它自己也说不清楚。也许是它在山岩上望着卡杰的队伍前进时想到的，也许是跑过奥泊城外的荒原时，灵机一动想到的。它又回到树上，在万里无云的晴空下，尽它最快的速度，借助于大树浓密的枝叶，腾来跃去，原来，它想到了去找女主教兰。

这时，女主教兰正在和奥泊城的女祭师们，在庙宇花园的池塘中洗澡。突然，她听见一声尖锐刺耳的猴子叫，抬头一看，见一只灰色的小猴子，蹲在池塘前的大树上，摇着尾巴，脸色却非常严峻，好像它心里装着什么天大的事一样。

那小猴子见兰在看它，就高声叫道："女主教兰啊！你快想个主意吧，他们去杀泰山了！他们去杀泰山了！"

兰突然听到小猴子提起泰山的名字，非常惊奇，她急忙从水池中站起来，水面齐到她的肩部。她睁大了眼睛，望着小猴子问道："你说什么？小猴子！泰山？泰山到奥泊城来，是好久以前的事了，从那次以后，他再没有来过。你刚才说什么？你看见泰山了？"

小猴子喊道："是的，我说的就是泰山，昨天天快黑的时候，我看见他了。我看见他带着很多黑猿一块儿来的，他没有进奥泊城，只爬到了城前面山谷上头的石岩上，他们所有的人都爬进大石洞里面去了。过了好一阵，他们出来的时候，每人都扛了两块石头，就是你们城里盖房子用的，黄颜色的那种，出了石洞，就丢到山岩底下去了。然后他们也跟着下去，把那些石块都扛起走了。喏！就是那边。"小猴子说着，用手指着东北角。

兰追问道："你怎么知道领队的人一定是人猿泰山呢？"

小猴子说："看你说的，我怎么会不认识泰山呢？我亲眼看见他的，他确实就是人猿泰山，一点也不会错。"

奥泊城的女主教兰皱着双眉，沉思着。在她心里，至今仍存留着对泰山的热恋。自从第二次泰山走了之后，她感到绝望了，没有办法，就和总祭师卡杰结了婚，对泰山的思恋，在迫不得已的情况下，逐渐淡化。原来，在奥泊城的法律上，有一条明文规定：凡奥泊城里的女主教，在受过洗礼后的若干年之内，必须选择一个合适的人结婚。从前，兰见过泰山之后，非常中意，一颗心都在泰山身上，希望泰山能做她的终身伴侣，这种单恋维持了好长一段时间。可是她觉得泰山却和她不一样，泰山心里没有她。后来，她有点绝望了，感到泰山终究是不会爱她的。兰悲戚了一段时间之后，只好听天由命，无可奈何地投身到卡杰的怀抱中去了。

光阴过得非常快，泰山始终没有再到奥泊城来。兰记得非常清楚，泰山最后一次离开奥泊城的时候，曾经答应过她，以后会来看她的。她日盼夜想，泰山一直没有再来，她心里不知是个什么滋味，渐渐感到失望了，只好顺着卡杰的意思，认为泰山已经死了。心里这样一想，虽然她并没有减低对卡杰的嫌恶，但事已至此，她也只好把思恋人猿泰山的心，化作一个陈梦，让它渐淡渐远，而死心塌地地和卡杰过着平淡而不幸福的日子。但今天，她突然从小猴子嘴里又听到了泰山的名字，那么，也就是说泰山还活在人间，而且，他昨天还居然到过这里，这个消息，使她好不容易才平静下来的心湖，又汹涌澎湃起来。

她愣了一阵,忽然记起小猴子刚才好像说,有人去杀泰山了,她不由得心急火燎地问:"你刚才说什么?谁要去杀人猿泰山?"

小猴子急不可耐地喊道:"卡杰!我看见他带着很多武士,朝泰山走的方向去追赶了。你快想办法,泰山有危险了!"

兰听了这话,好像突然被什么东西烫了一下一样,立刻从水池子里跳了出来,从她侍女的手中夺过她的衣服、腰带和饰物,火速穿戴整齐,奔跑着穿过园子,向庙宇的方向跑去。

七
"你必须牺牲他"

卡杰领着一百多个武士,各人都带着刀和绳子,翻山越岭,追赶着泰山和他率领的黑人。他们并没有放开脚步快追,因为他们从奥泊城的城墙上,早已看清楚了,泰山那一群人走得很慢,他们并不知道背后已有追兵来了,同时每人身上又都负重,因此缓缓地向峡谷走去。卡杰的想法是,不准备在白天把他们追上,他要实行一个最合算的计划,想趁黑夜搞突然袭击,给对方一个迅雷不及掩耳,打他们一个措手不及。他估计以自己这样的大队人马,要去歼灭熟睡中的五十来个敌人,那是易如反掌的。

他们就循着地上清楚的脚印,往前追赶,渐渐走过了山坡,转入了山谷。将近正午的时候,他们看见前面有一个小空场,空场上有一个用荆棘围着的园地,他估计,自己要追的一群人一定在这里休息,于是他也停止前进,远远地□望着。只见那营地上空,还一缕缕地冒着残烟,空气中还能闻到烧过东西的气味。卡杰想,泰山的队伍一定在这里休息,他们跑不脱自己的掌心了。

于是卡杰吩咐自己的部下,躲进路边丰茂的草丛中,先派一个武士去看看动静。几分钟之后,那个武士回来报告说,那个营地是空的,一个人也没有。卡杰听了这个情况,才又领着他的武士继续前进。他们进了营地仔细审查，想从所留的痕迹上，来推测泰山到底带了多少人来。忽然，卡杰发现营地角上似乎有个什么东西，因为大半被乱草遮掩住了，所以看不清楚。他感到非常奇怪，人都走光了，还会留下什么呢？于是他带着戒备的心情，小心翼翼地往前走去。渐渐走近了，看见那个东西，像是一个人躺在那里。卡杰手下有十多个人，手里举着棍子，也朝那个方向走去。等他们走到近处，看清了躺在那里的确实是一个人，从面目上辨认，竟然是人猿泰山！他躺在那里，一动不动。

卡杰一见，意外高兴地叫道："太阳神真是显灵了！你们看，我该来惩罚藐视神明、滋扰圣坛的那个犯人了！"在说这话时，他的眼睛里闪出愉快的光芒。但是另外的一个祭师，心思比卡杰更精细些，他想知道这个躺着的人究竟是死的还是活的，于是他就俯下身去，把耳朵贴在躺着的人的胸前，仔细静听着，然后低声说："他没有死，好像睡得很熟。"

卡杰吩咐道："快捉住他，别等他醒过来！"卡杰叫他的手下人先把泰山捆上。泰山没有抵抗，连眼睛也没有睁开，只一会儿的工夫，几个人七手八脚地就把他的双手捆绑在背后了。

卡杰见把泰山捆好了，他即使醒了，也无法抵抗了，于是高声叫道："把他拖出来，好让太阳神的眼睛看得见他。"于是武士遵从他的命令，把泰山从角落里拖出来，放到营地的中间。卡杰手下的武士们，这时都围过来看热闹，等待着看下面的好戏。他们看看躺在地上的泰山，又抬头看看卡杰，还不时望望天空中的太阳。他们虽很好奇，但也非常胆小，只是看着，等待着，不敢提出什么问题。其中只有一个比较有胆量的祭师，就是前一天，敢于违抗卡杰的命令,质问他为什么要杀泰山的那一位。现在,他又向卡杰提出异议了:"卡杰!你忘了自己是什么人吗?你怎么能把牺牲品献给太阳神?这是我们的女主教兰才有的权力啊!她是我们的主教,也是我们的王后,只有她才是至高无上的。如果让她知道你做了这件越权的事,她会震怒的。你不要忘了这一点!"

卡杰见这个祭师屡次冒犯他,怒不可遏地喊道:"闭嘴!杜茨!你别忘了,我卡杰是奥泊城的总祭师,我还是兰的丈夫!在奥泊城,我的话就是法律!假如你还想活下去,好好当一名祭师的话,记住,从今不许再多口!"

杜茨没有因此而顺服,据理抗辩说:"卡杰!我也想提醒你,你的话不是法律,如果你惹怒了女主教兰,惹怒了太阳神,你也跟其他人没什么两样,也必须领受处分。如果你在这里轻率地杀了这个人,我敢说,太阳神和兰都会动怒的。"

卡杰大怒,叫道:"今天我就是要杀了他,看会有什么祸事落到我头上!太阳神早就明白地告诉过我,必须把这个冒犯神庙、冒犯祭坛的罪犯,作为牺牲品杀掉!"

说完,卡杰就跪到泰山的身旁,用他的刀尖,向泰山的胸口上,心脏所在的部位处比划着,然后举起刀来,就要刺下去。恰好在这个时候,有一片浮云飞过来遮住了太阳。于是一阵叽叽喳喳的议论声,从祭师们的口中响了起来。

杜茨再一次叫道:"你看怎么样!我没有说错吧?太阳神已经在生气了,他遮住自己的脸,不愿意看奥泊城的百姓在祭坛之外的野地里随意杀人。"

卡杰听了,又抬头看看太阳,不觉也犹豫起来。他用一半貌视一半惊奇的目光,看着浮云遮住太阳的情景。然后,他慢慢地站了起来,把双手举向空中,向躲在浮云后面的太阳神,静默了好几分钟。这个动作,说明他心里已有了悔改和服从的意思了。过了好一会儿,他才转过脸来,对他的随从们说:"奥泊城的祭师们,太阳神对他的总祭师卡杰说,他并没有动怒。他只愿意对我一个人讲话,除我之外,你们谁也不会听见。他已经吩咐我了,叫你们都到那边的林子里去,好让他向卡杰说明他的谕旨。等我奉太阳神之命,把这里的事做完了,我会叫你们回来的。好了,现在都走开吧!"

卡杰手下的大多数人,都还是愿意服从他的,但杜茨和少数的几个祭师,心里还是疑疑惑惑,迟疑着不肯马上走。

卡杰看有几个人居然不听自己的话,大声怒喝道:"快走!还在这里等什么?"那几个人见卡杰真急了,也不敢再违抗,都转过身挤到人群里去,往丛莽那边走去了。看他们走了,总祭师卡杰的脸上浮出了一丝阴狠的笑容,当他望着那群祭师中的最后一个身影也隐入丛林之后,他又把他的注意力全都贯注在泰山身上了。在他的心灵深处,还是存有一丝畏神敬神的想法,刚才他抬头看天空,见浮云遮蔽了太阳时,他心里也不是没有怀疑和畏惧。现在,他决心要杀死泰山,他知道杜茨和少数人是反对的,再加上他心理上的畏神思想,使得他实在不敢在此时下手。他抬头望着天空,想等浮云过去,太阳的光辉再照遍大地时,再下最后的决心。

遮住太阳的那块浮云确实很大,卡杰不能不多等些时间,有好几次他都把刀举起来了,但他终于不敢在太阳的阴影里,把刀刺向泰山,多年来信奉宗教的力量,终于牵制住了他的行动。就这样,五分钟、十分钟、十五分钟,时光在不断地溜过去,但太阳始终还被浮云遮蔽着。到最后,浮云就要走过去了,从浮云的边缘上,已经能够看到一点太阳了,这时卡杰终于鼓起了勇气,重新跪到泰山的身旁,把刀准备好,只等阳光重新射到泰山身上的时候,他就要用上全身的力气,把刀刺进泰山的胸口了。他看着浮云的影子缓慢地移过营地的地面,太阳光很快就要照射到泰山身上了,他把雪亮的刀,最后一次高高举起,正在他咬紧了牙,要往下刺去的时候,忽然一声高呼,从林间飞了出来,高声地喝叫着:"卡杰!"这是个女人的声音,这声音是他熟悉的,可是,这一声喊叫里,分明带着怒意。卡杰听到之后,马上回头去看,他手中的刀不得不因吃惊而停住了。原来,他看见空场的尽头,站着的正是女主教兰,是他又爱又怕的妻子,也是此时此刻他最怕见到的人。在她的身后,站着的是杜茨和二十来个年轻的祭师。

兰怒目圆睁地问他:"卡杰!你这是在干什么?"她边责问边满面怒意地向空场上走来。卡杰也不示弱地站起身来,说:"太阳神命令我结束这个叛道者的生命,我在执行太阳神的命令。"

女主教兰十分严肃地高声喝道:"你竟敢这样斗胆胡说!太阳神的命令,从来都是通过女主教的嘴,传达给你们,你有什么权力,越权执行太阳神的命令?过去,我没有认真追究过你,你不要以为我忘了,你违背王后的意旨,已经有不少次了。卡杰,你不会不知道,女主教手里掌握着生死大权,对你也不例外。从奥泊城的历史上查,还从来没有越过女主教,由总祭师在祭坛以外,直接把牺牲品贡献给太阳神的先例。你也太胆大妄为了!卡杰!

"太阳神的命令,从来都是通过女主教的嘴传达给你们。"

你必须立即停止违背太阳神意旨的行动，否则，我有权力立刻叫你死！"

卡杰听了这话，只好无可奈何地收起刀，怒气冲冲地转身就走，一边用恶狠狠的眼神，望了望杜茨，因为他认为给女主教通风报信的，一定是杜茨，他怎么也想不到是一只小灰猴子。卡杰此时在女主教面前，只能忍辱服输，可是那些站在卡杰一边的祭师们知道，卡杰想杀死泰山的心，是决不会就此罢休的，一旦有了机会，他还是会对泰山下毒手的。有许多祭师心里甚至在琢磨，女主教兰是否会不顾卡杰手下也有一大批人，而把他们的总祭师无情地置于死地，或者把他驱逐出奥泊城。因为卡杰的地位和权限，按照奥泊城历代传下来的法律和风俗，确实是在女主教之下的，也就是说，他必须服从她。

几年以来，女主教兰总是一次次地借故推托，不愿意和总祭师卡杰结婚。她自己心里当然也很明白，她也曾多次审时度势过，如果她一心钟情于泰山，这会引起奥泊城人民的反感的，因此，最后她只好违心地与卡杰结婚了。尽管他们结成了夫妻，但她嫌恶和厌烦他的心，并没有减少。究竟什么时候才能解决她心里这个矛盾，凡是奥泊城里知道内情的人，心里都还打着问号。卡杰自己心里也明白这一点，所以他对于他的王后，不但时常存着戒备，而且可以说，他不无叛变之心。跟他狼狈为奸的，还有一个女祭师，名叫欧哈，她很久以来，一直羡慕和妒嫉女主教兰的权力和地位，总想取而代之。假如能够把兰打倒，她相信卡杰一定会拥戴她做女主教。那么她也就可以如愿以偿地和卡杰结婚了。一旦做到了这一步，她也打算承认卡杰是奥泊城的王。他俩虽然都暗地里有这个心思，但毕竟受宗教规定和畏神心理的束缚，不敢冒冒失失地有所举措，就这样，兰一直保持着她的地位，然而，只要有一点星星之火，一场大的变故就会引发的。

目前，女主教兰虽然有权力可以阻止总祭师用泰山作为祭品，但是，她的命运，甚至她的生命，也和泰山一样处在危险的境地。她如果过分地保护泰山，或者不适当地流露出结婚前对泰山的热情，这样，她会引起全奥泊城人的反感，她不忠于宗教的罪名就成立了。就是现在，在奥泊城里关系如此微妙的状态下，她能不能保住泰山的生命，能不能让泰山恢复自由，她自己心里也是没有把握的。

卡杰和他手下的祭师们，都看着女主教兰，大家眼睛都盯着她走近泰山的身边。兰在泰山的身边默默地站了好几分钟，她一直低头看着泰山，问她身边的人："他死了吗？"

有好一阵没有人敢答话，后来，杜茨勇敢地站出来说："刚才卡杰命令我们走开的时候，他还没有死。我们走进丛林之后，不知道发生过什么事。如果现在他死了，那一定是卡杰趁我们不在的时候，把他杀死的。"

卡杰这时赶紧解释说："我发誓，我没有杀死他。我们的王后，我们的女主教兰多次告诉过我，奥泊城里的大事，都应该由她来处置，这一点，我没有一刻忘记过。现在，太阳神的眼睛，在看着奥泊城的女主教，那把代表至高权力的宝刀，也挂在你的腰里，牺牲物不是就躺在你的面前吗？你何不自己看看呢？"

兰并没有理睬卡杰，她转过身来对杜茨说："假如他还活着，你派人去取一副担架来，把他抬回奥泊城去。"

于是我们的人猿泰山,在昏迷不醒的状态下,又一次来到了大西洋遗民的故土。这么一大群人,在他身边折腾了这么半天,他居然还没有醒过来,这都是因为弗洛兰的手下人,在他的咖啡里掺进了麻药所产生的效果,以致他好几个钟头都醒不过来。一直到天黑的时候,泰山才睁开眼,在他刚醒的时候,还没有完全明白过来,他不知道自己在哪里,只觉得周围十分黑暗,而且寂静无声。他先用鼻子闻了一下,判断出自己是躺在草堆上面的。他试着伸了伸胳膊和腿,觉得没有疼的地方,知道自己并没受伤。等到神志完全清醒之后,他恢复了记忆,把前前后后的情况一想,明白自己遭了那伙人的暗算。自己究竟昏睡了多少时间?现在躺的是什么地方?他都不知道。于是他站了起来,觉得稍稍还有点头晕。他在黑暗中,小心翼翼地用手摸索着,并且用脚试探着向前走去。没走几步,就觉得有一堵石壁挡住了他的去路。于是他沿着石壁走了一圈,才明白自己是被关在一间小房子里,这间房有两个屋门,都严严实实地关着。在这里,他只能凭触觉和嗅觉来了解周围的一切。后来他明白自己恐怕是被关在地洞里了。忽然,他闻到了一股香味,这香味似乎是他曾经闻到过的,而且,这香气是和一片美好的记忆联系在一起的。过了一会儿,从他的上面传来了一个声音,这声音引起了泰山更为清楚的记忆。这香味和这声音是那么熟悉,使他明白了,监禁他的地方,一定是奥泊诚的一个地洞里。

关泰山的这间房子的上面,原来就是奥泊城里的庙宇,这时女主教兰正躺在庙宇内的床上。她正在琢磨着奥泊城里人民的心理状态和总祭师卡杰的阴谋。她知道宗教无上的权威,曾经几次让愚顽的群众激动过，如果兰一味护着泰山，不把泰山献祭给太阳神，卡杰是会利用这一点的。她左思右想，希望能想出一个完美的解决方法。这件事使得她怎么也睡不着，因为兰实在不愿意泰山血淋淋地死在祭坛上啊！兰虽然是宗教上的最高领袖，不过是个半野蛮人种的王后，但她毕竟是个女人，而且是个对爱情很专一的女人。她把自己真正的爱情，已经倾注在泰山身上了，正因为如此，泰山才两次从奥泊城的祭刀下，逃脱了生命危险。可是现在，泰山又闯入她的权力范围之内了，现在，爱情在兰的心里，仍然占着上风，她不愿自己眷恋的人有任何危险，即使这个爱情得不到结果，她也决不愿意泰山死去。

今晚，她感到自己面对着一个难题了，这个难题不是她的力量所解决得了的。事实上，她自己也明白，自己已经嫁给了卡杰，这意味着自己永远失去了做人猿泰山妻子的资格，但这一点也不妨碍她想救泰山免于一死。更何况，泰山曾经两次救过她的性命，一次是从疯狂的教徒群中，为她解了围；另一次是从猛兽的爪牙下把她解救出来。因此，她曾经说过，如果泰山再到奥泊城来，她一定把泰山当贵宾款待。然而，目前的情况是，卡杰在奥泊城里，也有相当的势力，而且她心里也明白，卡杰由于嫉妒泰山，对泰山恨得咬牙切齿，当她把泰山放在担架上，抬回奥泊城的时候，她已从卡杰的眼神中看出了这一点。她也看到卡杰身后那一群祭师们的眼光，她知道他们心里拥戴卡杰，只要有一点风吹草动，他们会鼓动大家，把自己驱逐出境的。他们都在等她做出一点点错事，他们就会实现他们想干的事。她也明白他们想找的借口，就在泰山身上。

快到半夜的时候,有一个女祭师走了进来,兰认得这个女祭师,是站在寝室门口为自己守卫的,而且,她也是一向袒护着兰的。

那个女祭师进来之后低声说:"女主教!杜茨有话要跟你说呢。"

兰回答说:"现在时间太晚了,而且男人不得到允许,是不应该到内室里来的,你叫他明天再来吧!"

那女祭师说:"这里的规矩,他也是懂得的,可他说他有非常重要的事要对你说,并且说你有很大的危险呢!"

兰说:"既然这样,就叫他进来吧。但是,你要想保住自己的生命,这件事可千万不能泄露出去。"

那女祭师说:"不劳吩咐,这一点我当然明白。我一定守口如瓶,像祭坛上的石头一样。"说完,就转身走出去了。

过了不长的时间,女祭师带着杜茨进来了。他走到离女主教远远的地方就站住了,向女主教敬了礼。兰对女祭师做了个手势,叫她出去,然后心情不安地向杜茨问道:"杜茨,你有什么重要的事要对我说?"

杜茨说:"请恕我斗胆冒犯,我们心里都知道,女主教是爱着那个叫人猿泰山的白人的。这事本来不该我多嘴,论地位和职务,我也是卑微的,没有资格过问女主教的事。但现在我出于对女主教的忠诚,我不得不告诉你,有不少平时围在你身边,奉承你,表面上为你服务的人,心里却正想害你呢,你不能不有所提防啊。"

兰吃惊地问道:"你说什么,杜茨。谁要加害我?"

杜茨说："卡杰、欧哈，还有一些男女祭师，他们正在商量着要害你呢！他们已经暗地里安排了人，监视你的行动。他们估计你会释放人猿泰山，他们还会派人来，怂恿你这样做。这个怂恿你的人，就是卡杰派来的。只要你前脚放走了泰山，他们后脚就会马上向祭师和百姓们宣扬，策动群众反抗你。这对你可是至关重要的啊！你千万不能掉以轻心。我还要告诉你一个情况，卡杰和欧哈已经派人埋伏在奥泊城的四周了，只要你把泰山放出去，他们会在半路上截住杀死他。到太阳西沉的时候，他们会把泰山献祭给太阳神。奥泊城的女主教兰啊！依我看，现在只有一个办法能救得了你自己了。"

兰问："什么办法呢？"

杜茨以十分诚恳的态度说："唯一的办法就是，你必须在我们庙宇的祭坛上，亲手杀死泰山，把他献给太阳神，你必须牺牲他，除此之外，再没有第二个办法了。"

八
奇怪的土人

第二天早晨，兰吃过早餐之后，就派杜茨送食物给泰山。杜茨借此机会，就把卡杰串通欧哈，如何在泰山身上做文章，要暗害兰，谋夺女主教位置的阴谋诡计，向泰山和盘托出了。泰山听后，心里已经有了底。正在这时候，有一个年轻的女祭司走进了兰的房里，她是欧哈手下的一名修女。在她还没开口之前，兰心里已经明白，她是卡杰派来的，同时也证实了昨夜杜茨对她说的话是真实的，看来，卡杰的阴谋已经在进行了。那年轻的女祭司，进来之后，坐立不安，脸上流露出一种害怕的神态。她毕竟太年轻了，没经过什么大事，在她的心目中，一向把王后看成天神一样。她一直认为兰是万能的，而且手里握着她的生死大权，她此时不由得十分害怕，可是，卡杰和欧哈交给她的任务，又不敢不完成，心里直打鼓。兰只沉默着不开口，似乎在等小祭司先说。过了好长一段时间，那年轻女子才鼓起勇气来，东拉西扯了一些不着边际的话，内容似乎又都是想讨好兰的。她说了一会儿，始终是没头没脑的，兰心里明白，她很难扯到正题上来，看她那为难的样子，不免暗暗好笑。

兰终于忍不住想催促她一下，说："我知道你是欧哈手下的修女,你是难得到王后的卧室中来的,除非王后有命令叫你来。而今天却是你自己来的,这不会是无缘无故的吧?我希望你应该明白,你闯进这里来,就一定对太阳神的女主教有所奉献。"

那女祭司支吾了半天,才忸忸怩怩地说:"我来,也没有别的事,只是我无意间偷听到了一件事,考虑了许久,觉得应该告诉您,这件事与您有关,您知道了之后,或许对您有好处,我想,您一定愿意听吧?"

兰扬起她又弯又细的眉毛,吃惊地问:"真的是这样吗?"

那小女祭司说:"我偷偷听到卡杰和他那一群祭师们在商量,当时我听得清清楚楚。卡杰说,如果那个叫泰山的人逃走了,卡杰和您都会免去很多麻烦。我想,王后您一定愿意知道这件事吧?因为大家都知道,女主教兰曾经答应过泰山,日后要拿他当贵宾款待,决不愿意把他抬上祭坛,当作牺牲奉献给太阳神的。您说,我想的对吗?"

随着对方的话,兰的面容越来越严肃,听完之后,她以一种十分郑重的、居高临下的、不容置疑的语调说:"我的责任,我和大家都十分清楚,不必卡杰或任何一个修女来告诉我。我也知道,作为女主教,我有着别人没有的特殊权力,特殊权力之一就是,祭品必须通过我的手,献祭给太阳神。正因为我清醒地知道这一点,我才阻止卡杰在野外杀死泰山。除了我的手之外,没有任何人的手,有资格取出他心上的鲜血,来献祭给太阳神。现在,已经是第二天了,只要等到第三天,泰山就要在奥泊城庄严的祭坛上,死在我的圣刀之下了。这事,用不着谁来提醒。"

这几句话一出口,在那年轻女祭司的脸上,马上看到了效果,她的反应,正和兰所预料的一样。兰留意看着女祭司,实际也就是受卡杰和欧哈之命来通风报信的人,她脸上明显地露出不安和失望的表情。女祭司简直张口结舌,因为女主教的回答,完全出乎她的意料之外。这个年轻的修女只好尴尬地找了个借口,退出兰的屋子,兰在心里却止不住暗笑。其实,她决没有拿泰山当牺牲的意图,但是这一点,欧哈手下的那个修女,却是丝毫也不知道的。那年轻的女祭司,回到卡杰那里,把兰的话,一字不漏地都报告了。卡杰听了,不但感到意外,也感到几分失望,因为兰肯杀死泰山,固然除去自己心头一患,可是兰这样一做,也就激不起奥泊城的众怒了,他和欧哈想要夺权的事,自然成了泡影。

欧哈对此事的反应,比卡杰更强烈,当她的修女回来报告情况的时候,她咬着嘴唇,又失望又愤怒,自己当女主教的事,眼看着要成功了,却一下子烟消云散了,她气得都有点发抖了。她认为,不能就这样甘心认输,她默默地呆了好几分钟,心里又打起了另外一个主意,她走到卡杰的面前说:

"兰心里丢不开放不下地爱着泰山,这是大家都看得出来的事,如果她真肯割爱拿泰山当牺牲,她一定也审时度势了,迫于奥泊城人民的压力,不得已而为之。在她心里,泰山所占的重量,比你卡杰要重得多。泰山也相信这一点,他一定认为兰会放他逃生的。听着,卡杰!我现在有一个好主意,咱们何不利用泰山这个想法,派一个得力的、能干的人,到泰山那里去,就告诉泰山说,是奉了女主教兰之命,来领他逃出奥泊城的。那个人可以领泰山到我们事先埋伏好的地方,把他杀了。然后我们就去见兰,当众指出她的罪责。只要领泰山出奥泊城的人一口咬定,是女主教兰派她去的,兰就有口莫辩,难辞其咎。这样一来,全城的祭师和人民一定会激怒起来,你就可以水到渠成地要了兰的性命。这件事按我说的去办,很容易成功,我们岂不是一箭双雕,把这两个心腹之患一起除掉了吗?"

卡杰脱口而出地叫道:"好哇!这真是个绝妙的主意,明天早晨,我们马上动手,事不宜迟。等到晚上,太阳神回去休息的时候,我们这里一定就有一个新的女主教了。啊哈!我聪明的欧哈呀!"

那天晚上,泰山已经睡着了,可是突然被开门的声音所惊醒。他听到有人在移动门闩,又听到门锁上的链子哗哗地响,他仔细地听着,听到门慢慢地开了。他在黑暗中,什么也看不见,可是他听到脚步声,是草鞋底擦在地板上的声音。同时他听见一个女人,用耳语般的声音,在唤他的名字。

泰山回答说:"我在这里,你是谁?到这儿来找我有什么事?"

那女人仍用耳语的声音回答说:"你有生命危险!快跟我走!"

泰山摸不透对方的意图,就继续追问:"是谁派你来的?"对方并不回答他的话,毫不迟疑地催着泰山快走。泰山用鼻子闻闻,空气中有一股幽幽的香味,泰山由此判断,来的多半是个女人,但他仍不能判断出她是谁,难道是一个同情自己的女祭师吗?

进来的人在黑暗中摸索着,终于找到了泰山,只听她轻声说:"是兰派我来的,叫我来领你逃出奥泊城,让你恢复自由。"

"拿着,这是你的武器。"她又把泰山的武器,递到泰山手里。于是那人牵着泰山的手,跑出地洞,经过一条又长又弯的长廊,走上一条年代久远的石阶,泰山跟着她,只觉得走过了很多街道,经过了很多道门,门上的铰链都发出久已生锈的摩擦声。他们到底走了有多远,都是朝着哪个方向走的,泰山都不知道。早上杜茨给他送早餐的时候,他曾盘问过杜茨,杜茨告诉过他,可能会有一个朋友来帮他的忙。杜茨还告诉他,兰从卡杰那里听说,泰山被人用了麻醉药,躺在欧洲人的营地里,因而被捉的,兰决心要从卡杰的毒手里,把泰山救出来。泰山心里有了这个底,因而放心大胆地跟着这个女人去。但是他边走,边想起来临出庄园时,琴恩的预言:"如果第三次到奥泊城,一定会遇到危险。"现在泰山真的有点疑惑,琴恩的预言,是否真会应验,琴恩曾说,她预感到泰山此去,逃不过太阳神教徒的折磨。

那女子领着泰山,在黑暗的地下通道中走着,约走了有一小时光景,上了一段石阶之后,最后来到一片灌木丛中。这里有了淡淡的月色,四周的东西隐约可辨了,泰山嗅到了新鲜空气,知道到了地面上了。这一路上,那女子只在前面匆匆地走着,没有讲过一句话,一直闭口不语,顺着羊肠小道,忽左忽右地奔走,最后穿过一片长满草丛、难于穿行的树林。

从天上星月的方向和脚下向上延伸着的弯曲道路的走向上辨别,泰山知道他是被引到奥泊城外的山上去了。那个地方,是他不想去的,因为前面莽莽苍苍,是一片不毛之地,没有能够猎取的野兽。泰山看山上的植物,也都十分瘦瘠,完全能看出这是多么荒凉的地方。他们继续往前走着,越走地势越高,真是所谓山高月小,天上的月亮,仿佛也升得更高了一样,等到月光照到泰山的时候,山上的形势,泰山也看得更清楚了。后来,他们走到一处狭窄的山峡里,泰山才看清楚,从奥泊城里,根本看不到这里的植物。泰山平时也是个沉默寡言的人，前面的女子闷声不响，泰山也不觉得有什么可疑。其实，前面那个女子心里有许多话想对泰山说，但她始终没有转过身来看泰山一眼，而且一直保持着沉默，他们俩静静地朝前走，谁也没有说过一句话。

天上的星光渐渐淡了，黑夜快要过去了，这时，两个人正爬上陡峭的岩石边上，那儿是山峡的尽头，又是个比较安静的地方。他们一路走去，天上渐渐露出曙光了。那女子就在山坡的尽头处站住了。泰山看见在群山中间，有一个小湖，在两三里外的树林中，有一带屋宇，沐浴在早晨的阳光之下。泰山看完了周围的景物之后，转过头去看看领他出来的人，这一看，才使他不禁大吃一惊，原来站在他面前的，正是奥泊城的女主教兰！

泰山吃惊地叫起来："怎么是你？昨天早晨杜茨把情况都告诉我了，你这样做，岂不是让卡杰抓到了借口？正像杜茨讲的一样，他们就要在我身上做文章，引你做错事，他们才好把你排挤出女主教的地位呀！你这样做不是正中他们的下怀吗？弄不好连你的性命都保不住！这怎么可以？"

兰说："随他们怎么样吧！我即使闯过这一次，迟早他们还是会想法排挤我的。我已想好了，我不打算再回奥泊城去了！"

泰山着急地问道："不回奥泊城去，你要到哪儿去呢？哪里还有你能去的地方？"

兰神色黯然地说："我和你一块儿出来，并不指望你能爱我，我只是把你带出奥泊城，免你一死。至于我，我也想永远离开那些总想伤害我的仇人，除此，我已经没有第二条路可走了。一只小灰猴，偷听到了他们的阴谋，跑来全告诉了我。不论我救了你，或者我杀了你,我迟早总是逃不过他们的毒手的。他们决心要把我除掉,让欧哈做女主教,卡杰自己当奥泊城的王。我平心而论,无论如何不愿把你献祭给太阳神。泰山,我们既然已经逃出来了,就没有别的路可走了,只有我们俩同心合力,打开一条逃生的路。我们不能往西走或往北走,因为那两个方向都必须经过奥泊城的平原,卡杰在那里早埋伏下人了,只等着你去就杀死你。泰山,我知道你在丛林里是个无敌的英雄,可是,遇到卡杰那一伙,你会寡不敌众,性命会伤在他们手中的。"

泰山问:"那么,你准备领我到哪儿去呢?"

兰说:"这个我也考虑过了,我从两条危险的路线中,挑选了比较稳妥的一条。我知道从这里走过去,那边有一个无名的国家,我们奥泊城的人,听说过许多关于他们国家的事,但是,没有一个奥泊城的人,敢到那里去,即使去了,也没有活着回来的。如果说,世界上有人能征服这个无名国家,那就不会是别人,只有你,人猿泰山!"

泰山说:"但是,你和我都不清楚那个国家和人民的情况,甚至,连到那儿去的路,我们也不一定找得到啊!"

兰说:"我能找到去那个山顶的路线,不过,我最远也只到过那里,没有再往前走过。我只知道大猿和狮子,都是从那条路到奥泊城来。我们当然无从知道它们是怎么来的,我们还跟从那边来的大猿发生过战争。总之,我确知那些大猿就是从这条路到奥泊城来的。它们还曾经掳走过我们的百姓,我们也曾埋伏在这条路上等候过它们。曾经有过几次,我们逮住了大猿,也献祭过太阳神,不过,这都是老早以前的事了。但是,大猿也提防着我们,我们始终不知道大猿掳走我们的百姓干什么，我们猜想，多半是把他们吃掉了。我说的奥泊城上边山谷中的大猿，它们是个很厉害的种群，它们不但比猩猩高大，也比猩猩狡猾。据说，它们不只有大猿的血统，也有人类的血统呢！"

泰山问："兰！我们为什么一定要经过这个山谷逃出去？这里难道没有其他的路吗？"

兰说："据我知道，没有第二条路。人猿泰山！我确切地知道，凡是能横穿过山谷的大道，都有卡杰部下的武士埋伏着。我们只有这一条路可以逃出险境，就是现在我领你走的这条路，只有越过奥泊城南面的高山，我们才能设法逃到外面去。"

泰山站在那里，凝视着山下的一片湖水，心绪起伏地想了很多。现在假如只是他孤身一人，他可以不走这条路，因为他相信凭自己的力气和本领，穿过奥泊城的山谷并不困难，甚至可以说没有危险。就连卡杰的阴谋都算在内，他也可以不当一回事。但现在的事实是，在这里的不是自己一个人，还有兰。他不能不为兰打算，兰已经用她的身家性命救了自己，在逃生的道路上，他义不容辞地要把兰置于自己的保护之下。

他们走了一段山路之后，顺着湖岸走去，远远望得见一排房子，泰山四顾了一下，觉得他们现在走的一条路是比较正确的，他想，目前第一个目标，是要找到能够走过这一座山的路，远离这个野蛮而危险的境地，下一步该怎么办，以后再作考虑。泰山注意看了看那边的房子，一大半都被大树的枝叶遮住了，他心里觉得十分奇怪，因为他认为，那边除了野兽之外，应该是没有人类居住的。而且据他观察断定，建筑这个屋子的民族和奥泊城的人,不是属于同一时代的,应该比奥泊城的人早,也许就是更为原始的奥泊民族。也许后来,他们的后代已经忘记了他们。那排房子望过去,还有点庄严雄伟的气派,有几分像古代的王宫。

泰山戒备着难以预料的情况,但他心里还像往常一样无所畏惧。他相信用自己的智力和体力,去对付那些比较低级的动物,是不成什么问题的,即使那些动物非常狂暴,也不可怕,因为兽类有一个最大的特点,这也正是它们和人不一样之处,那就是它们不懂得群策群力,它们往往是不合群的。泰山最担心的是遇见人类,如果遇到又有智力又有体力的人类,联合起来跟自己作对,那才真正是危险的,因为泰山会觉得自己寡不敌众。但泰山再三分析,认为这里决不会有人类居住,最凶恶的敌手,顶多也不过是大猿或狮子罢了。这两种动物,泰山对哪一种都不怕,如果遇到大猿,说不定还能建立起友谊关系呢。

泰山望着对面,心里做着各种估计,考虑着该怎么样绕出这座山谷,想好了之后,他对兰说:"你跟我来!"说着,他就顺着一条斜坡走了下去。兰看那斜坡,是正对着那排房子的,同时也可以直通到丛林里去。

兰不解地问:"咱们为什么走这条斜坡,而不走那条正路?"

泰山说:"我选的这条路,是出山谷的捷径,我已经看准了,咱们要越过山谷,只有这条路是最近的。"

兰说:"但是,我很害怕呢。我觉得只有太阳神才知道,下面的丛林中藏着什么危险。"

泰山说:"据我判断,下面只有黑猿和小猴子,不会有别的,你不用害怕。"

兰低声说:"决心逃出来的时候,我本来是不怕的,但到了这里,却真的觉得害怕了,我到底是个女人啊!不过,你别担心,我决没有退回去的念头,现在是没有退路可走的。就是死,也得往前去。"

泰山很坦然地回答说:"对一个人来说,生死当然是大事,不过,人一辈子,也只死一次,不管你多么害怕,到头来还是躲不过去,老存着怕死的心,活着的日子,岂不反而增加了烦恼?倒不如一切豁出去,放心大胆地努力求生,倒容易冷静地闯过艰难险阻。我看,咱们还是走这条近路吧,走下去你就会明白,冒这次险是值得的。"

他们沿着这条崎岖的山路,向丰茂的草丛中走去。当他们走进林子里的时候,忽然发现这里的树很奇特,比普通的树要大两倍以上!风从他们背后吹来,像有一股力量推着他们,身不由己地比平时走得快。尽管如此,泰山还是没有丧失信心,也没有放松警惕。一路上,他们并没有发现其他野兽的足迹,只有狮子的脚印倒是随处可见。有好几次,泰山停下脚步,静静地听着,他不住地抬起头,闻着周围的空气,好像他闻到了什么气味,在不断探寻着。

突然,泰山说:"我觉得这个山谷里是有人的!凭我的直觉,有好几次,我觉得有人在窥伺我们。一定有什么人在暗中跟踪着咱们,因为我闻到了一种气味,只是这种气味很模糊,我捕捉不到它,似有若无。"

兰壮起胆子来看了看四周,向泰山身边更靠近了一些,低声说:"我可什么也没看见呀!"

泰山说:"我也没看见什么,只是闻到了一种并不明显的气味,但是,我可以肯定,一定有人在跟踪着我们。不管是人类还是猿类,它一定是闻到了我们的气味,才会紧紧地跟着我们,同时还有意不让我们闻到它的气味。嘿!这个东西还怪聪明的,它正穿过树林,在高高的树枝上。它的位置在我们之上,气流对它有利,这样,风的方向,会阻止我们闻到它的气味。你先等在这里,让我去闻得更清楚点。"泰山说完,就跳上了附近的一棵高树,他的动作又轻又敏捷,简直像一只小猴子一样,只一小会儿工夫,泰山又回到了兰的身边。

泰山说:"我的感觉不错,它离我们并不远。但究竟是人还是黑猿,我还没法确定,因为这东西的气味我不熟悉。来!我们两个人不妨逗它一下!"泰山说着,就把兰扛在了肩上,她伏在他的肩头,一会儿工夫,已经腾跃到了树枝中间。泰山说:"现在我们已经在它上边了,这样,它就闻不到我们的气味了。"

兰觉得泰山扛着她,从这棵树跳到另一棵树,穿枝过叶,是那样平稳,又那样迅速,不觉惊呆了。泰山这样在树上走了约半个小时,他忽然站住了,就停在一根摇摆不定的高高的树枝上。

"看!"泰山用手指了指前面,对兰说。兰顺着他指的方向看去,只见绿树丛中,有一个院落,院子是用木栅栏围着的,院里有十多间木头房子,这引起了兰的惊奇,也引起了泰山的注意。可是奇怪的是,那些木屋不是牢固地建在地上,而是在空中摇摇晃晃的,而且能够升降,好像有什么结实的东西在系着它们似的。泰山跳到近处一根结实的树枝上,把兰从肩上放下来,放轻脚步,从树上向前走去。奥泊人由于有猿的血统,所以也会在树上走路,兰就跟在泰山后面。走了一会儿，前面的村落更近地映入了眼帘，那些像跳舞一样的神秘的木屋，这时也能看得更清楚了。

原来，那几间木屋像蜂房，在非洲民族地区原是很常见的，那木屋的进深有七八尺，高有六七尺的样子，并没建筑在地面。每间木屋都用粗的绳索，吊在栅栏里面的大树上，屋底的中部，却拖着一条较细的绳子。泰山看那些木屋的门口，都比较小，好像容不下一个人的身体钻进钻出，然而每间木屋在离屋的底部三尺处的墙壁上，都开着好几个宽四五寸的方形小洞，显然是作为窗子用的。这时，在木栅栏里面的地面上，有几个村落里的居民在那里走动。泰山看着那些飘摇不定的小木屋，心里想，这个村落规模太小了，几乎不配称为一个村落。这里这些特殊的建筑法，以及这里的居民，泰山以前从来没有见到过。看样子，可以肯定他们都是黑人，但这些人都赤裸着身体，皮肤上除了胡乱涂抹着一些颜色之外，什么装饰物也没有。他们身材却都很高大，肌肉看来也坚实有力，然而两条腿却是短短的，相比之下，手臂显得很长，使得整个身体非常不匀称。这些人的脸上，却有点野兽的模样，嘴和眉骨向外突出，前额是凹陷的，眉骨以上，头颅的上部就像向后抹去一样，头顶非常平。

泰山站在树上，仔细看着他们，看到有一个人，拉着屋底中部的绳子，溜到了地面上，泰山至此才知道这条细绳子的用处，也知道了他们出入口的所在原来在屋子的底部。这些人都蹲在地上吃东西，有些人在用大牙撕咬着骨头上的生肉，有些在咀嚼野果和草根。村落中既有成年的男人和女人，也有小孩子，奇怪的是看不到年纪大的老人。他们除了头上有棕红色的头发之外，全身没有毛发。泰山没有听到这些人说话，有时他们也发出声音，却像野兽的咆哮声一样，泰山也没有看见他们脸上有过笑容。总之，这些人的外貌和生活习性，与普通的非洲人截然不同。泰山观察了好一会儿，没有看见他们有炉灶和生火的痕迹。地上摆放着他们的武器，看样子好像骑士们用的短矛和金属制造的斧子。泰山此时觉得真是不虚此行，若不到此，就不会看到从来没见过的这帮土人，实在是大开了眼界。泰山认为这些人十分低级，几乎跟野兽差不了许多，就是帕鹿顿的华丹人和荷丹人，若跟眼前这些人比较起来，还要算进化得多的呢。

泰山对他们也产生了疑问，他们既然如此落后，又怎么能制造出武器来呢？他们的武器虽然放得很远，看不清楚，但是还能看得出，手工是精细的，式样也比较玲珑。他们的木屋，也造得非常巧妙，村子四周的木栅栏很高，坚固而且整齐，足够抵御来这里猎食的狮子，因而可以保护村民了。

泰山和兰正在向村里瞭望的时候，忽然觉得好像有什么东西，从他们右边经过一样。过了一会儿，他们看见一个和木栅栏里一模一样的人从树上下来，跳到木栅栏里去了。另外的人，只看了他一眼，并没有动。这个人走过去，蹲在那群人中间，好像在和周围的人说着什么。泰山虽然听不见他在说什么，但看他边说边做着的手势，好像是在告诉大家，刚才，他看见了奇怪的生物在树上。泰山这时候才明白，刚才总觉得仿佛有什么东西在跟着自己，看来，恐怕就是这个人了。有几个人，听了他的述说，都站起来，做了几下蹦跳的动作，用手拍着自己的胸脯，这个动作是和猿猴一样的。但是从他们的脸上，却看不出什么表情来。闹了一阵,他们又平静地蹲下去了,就像刚才没发生什么事一样。

正在这时候,林子里传过来一声怪叫,这个怪叫声,唤起了泰山记忆中童年时代的许多往事。

泰山低声对兰说:"这叫声是猩猩。"

兰不禁颤抖了一下,说:"这恐怕是大猿群中的一个吧？"

泰山看着这头猩猩跳进了丛林,向木栅栏走去。泰山还从来没见过这样大的猩猩,直立起来身体特别高大,走起路来,几乎也跟人一样。它的头和脸却完全是猩猩的样子,但是只有一点是和普通猩猩不同的,当它走近的时候,泰山才看出来,这是另外一种猩猩,是具有接近人的头脑和灵性的。还有更奇怪之处,这只猩猩并不赤裸着身体,却戴有金银饰物,还真说得上灿烂夺目呢！它身上披着的不知是什么兽皮,上面有金片和钻石等饰物闪着光,前肢上有臂镯,脚腕上有脚镯,腰上系着腰带,带的前后,各拖着一条长长的穗子,好像是用小块钻石和金片连缀而成的。就连这位格雷斯托克爵士,平生也没见过这种珠光宝气的蛮装。这些珠宝的玲珑透剔,连奥泊城的宝藏中,也不容易找到呢！而这些竟出现在一只猩猩身上,泰山和兰怎会不感到奇怪呢？

翁翁郁郁的丛林,自从被这一声怪叫震动了之后,泰山看那木栅栏里的居民,也都受到了惊骇。他们都站了起来,当中的一些女人和孩子,都躲到了大树后面去,有的拉住木屋底部的绳子,爬到摇摇晃晃的木屋里面去了。有些男人,也向木栅门望着,似乎希望猩猩越不过木栅。那猩猩站在木栅栏外面,提高了喉咙吼叫着,但这种叫声,似乎带着说话的成分了,与刚才那一声怪叫不同。

九
死亡之箭

那个像人一样的大猩猩翻越了木栅,进到了栅栏里,武士们见了,都赶快往后退。大猩猩走到村子中间,站在了那里,向四周观望着,显出很凶恶的样子问:"女人和小孩们都到什么地方去了?快把他们叫出来!"

那些女人和小孩都躲藏在树后,当然也听见它这句话了,可是没有一个人从藏身的地方走出来。武士们也都不安地走来走去。有人想反抗,但又不敢,要服从,心里又不甘愿,他们心里,都在十分焦急地拿不定主意。

那大猩猩愤怒地吼叫着说:"快叫他们出来!不然,就把他们捉来!"大家都没有说话,最后,有一个武士站出来诘问:

"我们村子在这个月之内,不是供给过一个女人了吗?你要女人,应该轮到另外的村子了。"

大猩猩挺着胸脯,走到说话的武士面前,恐吓着说:"你别多嘴!看得出来,你是一个冒失的黑猿,你竟敢斗胆得罪大猩猩吗?我可是奉了狮子皇帝的圣旨来找你们的,你们要么就服从,要么就只有死!你们自己挑选吧!愿意挑哪一种?"

那黑人不敢再说什么,转过身去,就喊女人和小孩们出来。

但是喊了半天，没有一个人出来应声。大猩猩似乎等得不耐烦了，高声咆哮道："去给我把他们捉来！"那个黑人虽然满腔怒火，可还是不敢反抗，往那些女人和小孩躲藏着的地方走去了。隔了一会儿，有几个被抓了出来，有的是抓着胳膊拉出来的，更多的是被拉着头发的。看得出来，捉人的黑人，不见得舍得这些女人和孩子，可也看不出他对他们有什么仁慈。泰山看了这些人的行为，也听到这些男人前后的谈话，已经明白眼前发生的是怎么一回事了。

刚才说话的那个武士，此时对大猩猩说："大猩猩！如果狮子老到我们这里来要女人，那么，我们这里的武士，可就要觉得女人不够用了。同时，这里的小孩子也会很快减少。说不定不久的将来，我们这个村子要绝种的。"

那大猩猩仍旧咆哮着说："少拿这话来搪塞我，世界上的黑猩猩已经太多了。难道你们不是天生来给狮子皇帝和它的选民猩猩当食物用的吗？除此之外，你们还有什么别的用处？"它说着，就走上前去，像验货一样，检查那些女人和小孩，捏捏他们的肌肉，拍拍他们的胸脯和肩背。然后，它转身到一个女人跟前，这个女人怀里还抱着一个正在挣扎的小孩。

大猩猩看了看她，说："好了，就是这个吧！"说着，把那小孩一把从他母亲怀里拖下来，摔到木栅栏那边去了。那小孩躺在木栅栏那里，哭哭啼啼地喊痛，那个可怜的母亲，呆呆地站立了好久，一副敢怒而不敢言的样子。过了好一会儿，她突然冲到那孩子跟前，但大猩猩抓住了她，把她摔到地上。就在这时候，从寂静无声的大树上，传来了一声可怕的长啸，这个声音，分明是向大猩猩挑战的。那些黑人们听到这一声也吓坏了,战战兢兢地向上望去。大猩猩也抬起它狰狞的面孔,向树上发声的地方望去。

在上面摇摆不定的树枝上,他们看见了一个从未见过的生物,像是一只白猿,身上皮肤非常光滑。只见那白猿做了一个飞快的动作,他的手一放,一支箭像闪电一样飞向了大猩猩,瞬间那支箭穿过了大猩猩的胸膛。树下的人还没回过神来,那大猩猩就惨叫一声,倒在地上,抽搐了几下,就不再动了。

泰山平日和栅栏内的这种黑人并无交往,这次为什么在危难时刻,拔刀相助呢?因为泰山毕竟是个英国爵士,在他的心里,深藏着公道的想法,习惯于扶助弱小。更何况,泰山和猩猩族原有世仇,泰山有生以来的第一次打斗,对象就是猩猩;头一次死在泰山刀下的,也是猩猩。

那些吓坏了的黑人,站在那里发愣。泰山射死了猩猩之后,就从树上跳了下来。黑人们不知道他要干什么,都恐怖地向后退着,一边举起长矛,准备自卫。

泰山说:"你们不必害怕,我是你们的朋友,不会伤害你们的,我叫人猿泰山。放下你们手里的长矛吧!"他说着转过身去,从大猩猩胸口,拔出了他的箭,问村里人说:"这东西是谁?凭什么可以这样蛮不讲理,杀你们的小孩,抢你们的女人,这是什么道理?它从哪里来?你们为什么不用武器杀死它?"

村子里最善于讲话的一个武士说:"它是大猩猩,是狮子皇帝麾下的一个选民。假若狮子皇帝知道它死在我们村里,恐怕我们全村人都活不成了。"

泰山依旧听不明白,问道:"那么,你们说的狮子皇帝又是谁?"

那武士说:"狮子皇帝吗?它和大猩猩们同住在钻石王宫里。"

其实他的话并不能准确地表达真正的意思。他说的"狮子皇帝"只是转述大猩猩的话,但是大猩猩使用的支离破碎的语言,任凭它如何受着奥泊民族的同化,仍旧是极端原始的,这里所说的"狮子",是用的猿语"努玛",这个词既可能指狮子,也可能是头领或王的意思。所以所谓努玛,依泰山的理解,可能就是指大猩猩的王,而不一定是狮子。

当大猩猩倒下死了之后,那个失去孩子的母亲,赶快飞跑到受伤的孩子那里,一把把他抱在怀里。然后她就蹲在木栅栏边,嘴里哼着什么不成调子的歌,似乎是在抚慰孩子,让他不再啼哭。泰山从孩子的哭声听出来,他只是受惊了,而不是受伤。于是泰山走上前去,想看个究竟。起初那母亲见泰山向她走来,吓了一跳,赶快向后退避,并且留心地警戒着。但是在她愚笨的头脑中,认为她的孩子和她本人,都是泰山从大猩猩的爪子下救出来的,看来,这样的人是不会加害他们母子俩的。后来泰山看清楚了,那孩子只受了一点轻伤,并不要紧,于是就回身去看那些武士。那些武士站得离泰山不远,都在那里低声地交头接耳,不知在议论着什么。见泰山向他们走来,他们马上散开,退成了一个半圆形的圈子,站在泰山面前,七嘴八舌地对泰山说:"你虽然杀了大猩猩救了我们,可也给我们惹了祸。狮子皇帝一定会传我们去,杀了我们全村的人。平时,谁也不敢惹这个死了的大猩猩的,如果它们知道在我们村落里发生了这件事,决不会轻易放过我们的。只有一个办法能救我们全村的人,那就是把杀死大猩猩的人捉去交给他们。白猿,你应该和我们一起到钻石王宫去,我们把你交给大猩猩,那样,狮子皇帝也许会饶恕我们。"

泰山听了他们的话,不禁笑了起来。这些头脑简单的黑人,竟以为泰山一定会服从他们的意志,让他们把自己交给什么狮子皇帝。虽然他事前就知道,冲入这个村落是会有危险的,但他也非常自信,自己到底是鼎鼎大名的人猿泰山啊!逃避危险的可能性,比他们捉住自己的可能性要大得多。在此之前,他也曾遇到过不少野蛮的武士,他完全知道该怎么对付他们。但是,不到非动武不可的地步,他是不愿轻易用打的办法来解决问题的,他愿意和对方平心静气地交谈。在泰山的心里,自从丛林中发现这个村落的时候,他就很想把他们的来龙去脉弄个水落石出。

泰山想了想,平静地说:"等等,别忙!我不明白,难道你们要背叛一个保护过你们、替你们杀死敌人的朋友吗?"

那些黑武士说:"不,白猿!我们并不杀你,只是把你带到狮子皇帝那里去。"

泰山说:"那还不是一样吗?因为你们都知道,只要你们把我送去了,狮子皇帝是一定会杀死我的。这跟你们杀死我有什么区别?"

黑武士说:"我们也没有别的办法可想啊!如果我们让你逃走了,大猩猩们知道我们村里发生了这件事,遭殃的还是我们,除非你愿意给我们顶罪。"

泰山问:"大猩猩们怎么会知道这只猩猩是在你们村里被杀的呢?"

黑武士们说:"下次别的大猩猩来时,它们不是会看到这个尸体吗?"

泰山笑了说:"我没想到你们是担心这个,这还不好办吗?你们不会把它的尸体搬开,藏起来吗?"

那些黑人抓耳挠腮地在思考着,在他们简单的头脑里,从来没有想过用这个方法掩盖罪责。此时他们觉得,这陌生人的说法确有几分道理,这事,除了泰山和他们之外,没有外人知道,只要把尸体搬开,确实能洗脱全村人的嫌疑。但是,他们又想,该把尸体搬到哪儿去呢?于是他们又把这个问题提出来问泰山。

泰山说:"这个嘛,我来替你们想办法。不过,我有一个条件,凡是我问你们的问题,你们都得回答我,然后我才肯答应你们把尸体安放到稳妥的地方去,既不让人知道它是怎么死的,也不让人知道它是死在什么地方的。"

黑人问:"你都要问我们什么问题呢?"

泰山说:"我是一个从外地来的人,因为迷了路,才走到这里来的。我想要找一条走出山谷的路,不知道应该从哪个方向走?"泰山边说着边指了指东南方。

黑人摇摇头说:"这我可说不准,那儿也许有路可以走出山谷,可是山谷外面,又是什么样的地方,却没人知道。我不知道那里究竟有没有路,只听别人说过,山外遍地都是火焰,我们这里的人,从来没有人去过。我从小长这么大,从来没有走出村外,到远处去过,至多只走过一天的路程,替大猩猩去找猎物,或者采集水果和坚果。那里到底是不是有路,因为我没有去过,所以说不上来。"

泰山问：“你们这个村落里的人，没有一个人离开过山谷吗？”

那黑人说：“别的地方的人我不清楚，反正我们这里的人，没有一个人离开过山谷。”

泰山指着奥泊城问：“那边是什么地方？”

黑人回答说：“我不知道。有时候大猩猩从那儿来，还带着许多奇怪的动物，有一些矮小的人，皮肤是白的，头发黑色，而且很多，他们的腿是弯曲的，手臂却很长。有时候，它们也带来些白色的女人，但她们的外貌看起来不像那些男的白人。但是，这些人到底是从哪里来的，我可就不知道了。这些事，从来没有人告诉过我们。你要问我的，就是这些问题吗？”

泰山说：“是的，我就要问这些。”看来，泰山觉得从村民这里，是无法获得更多的答案了，因为这些村民很愚昧。然而泰山必须找到一条走出山谷的路，他想，还不如独自去找，也许快得多。于是泰山把他的想法，和蔼地告诉给黑人，对他们像对待朋友一样。

泰山说：“假如我搬走大猩猩的尸体，当然没有人知道它是死在你们村里的，要是我这样做了，你们会拿我当朋友看待吗？”

黑人们异口同声地说：“那当然。”

泰山说：“既然你们拿我当朋友，现在我请你们帮我做一件事，那就是保护我的白女人，等我回到你们村里来为止。你们办得到吗？如果有大猩猩来了，你们可以把她放在你们的木屋里，吊到高处去，这样，大猩猩就不会看到她了。你们同意这样做吗？”

那些黑人惊奇地向四面望望,说:"哪里有什么白女人,我们没有看见她呀!"

泰山说:"你们先得答应肯替我保护她,我就带她到这里来。"

那个跟泰山说话的黑人说:"我能保证我自己决不伤害她,可不知道其他的人怎么样。"

泰山转过脸来问其他的黑人,他们正挤在一堆听泰山说话,泰山问他们:"我去把我的伴侣领到你们村子里来,你们都要保护她,拿食物给她吃,直到我回来。我把大猩猩的尸体搬走,不给你们村留后患,到我回来时,希望看到我的伴侣平平安安地待在你们村子里。你们能办到吗?"

那些人听说泰山能把大猩猩的尸体搬走,都很爽快地答应了这个条件。

泰山想,把兰说成是自己的伴侣,这是最妥当的方法,因为这样可以让这群黑人知道,她是受他保护的。他们即使对泰山没有感激之心,至少也要让他们感到泰山是可怕的,这样,兰就安全了。泰山抬起头,向树上一看,见兰正躲在枝叶浓密处,他就叫兰下来。接着,兰从一根较低的树枝上跳下来,泰山用两臂接住了她。

那些黑人看看兰,又是一阵交头接耳。泰山对他们说:"这就是我的伴侣,你们一定要保护她,别让大猩猩看见。假如我回来时,看到她受了伤,我就去报告大猩猩群,说这只大猩猩是你们杀死的。"他边说边指着大猩猩的尸体。

兰转身向着泰山,脸上满是恐怖的神情,说:"你千万别把我丢在这里呀！"

泰山说："不要紧,你别害怕！我只是短时间离开你一会儿,这些可怜的黑人,都怕这个大猩猩的伙伴到他们村子里来报仇。我答应替他们把这个尸体搬开,即使再有大猩猩来,也看不出破绽了。假如他们的聪明程度,能够让他们懂得我替他们除了害,而要对我感恩戴德的话,他们肯定会保护你。你留在这里会安全的,跟我在这里陪着你是一样的。我一个人去,比咱们两个人去要快得多,还能顺便找一下出山谷的道路。等我回来我们就可以安然脱险了。"

兰说："你真的很快就回来吗？"她的声音里仍旧带着恐惧。

泰山说："很快,用不了多少时间,我就会回来了。"他又转身对黑人说,"挑一间宽敞些的小木屋,把它打扫干净了,替我的伴侣收拾一下。不要去打扰她,按时给她食物和清水。要认真按照我说的办,如果我回来看到她出了什么事,我可饶不了你们,我会把猩猩群找来,跟你们算账的。"

泰山说完,就弯下腰,把大猩猩的尸体扛在肩上,那些黑人看了,都很吃惊他有这么大的力气,本来,他们自己的体力已不算弱了,但是没有一个人能扛起猩猩往前走的,现在看这个奇怪的白猿,负着这么重的分量,还能走得很轻快,实在佩服得五体投地,并且由此看出,这个白猿也不是好惹的,他的吩咐,还是照办为是。他们赶紧给泰山打开了栅栏门,泰山迈开大步,朝森林的方向走去了。泰山自己的感觉,好像没背着多重的东西一样,不一会儿工夫,他的身影就隐没到浓密的丛林中了。

兰看泰山走远了,就对黑人们说："照他吩咐的做,给我准备一间木屋吧！"因为这时她赶了一夜的路，确实很疲倦了，希望能休息一下。可是那些黑人却一动不动，白着眼睛看着她，并且在那里交头接耳，不知在嘀咕些什么。她看出他们中间，有人想变卦，听起来仿佛是有人主张服从泰山的命令，也有人主张把她赶出村子，唯恐大猩猩看见他们村里有一个白女人，反而给他们全村人惹麻烦。

她听到一个说话声音比较大的黑人说："对！我赞成这个主意，索性把她送到大猩猩那里去，就说这个白女人的伴侣，杀死了狮子皇帝的使者。我们本来想捉他的，可是他逃走了，我们没有办法，只好捉了他的伴侣。这样，我们不但可以免了祸，也许还会得到狮子皇帝的奖赏呢！我们可以因此向狮子皇帝提出请求，求他不要向我们村要那么多女人和小孩。"

有一个黑人却说："我看不能那么莽撞，你们刚才看见了，那个白猿可也不是好惹的，他不知用了个什么东西，那么厉害的大猩猩，一下就被他弄死了。再说，大猩猩的尸体那么重，他扛起来走得飞快。依我看，他恐怕比大猩猩还厉害，如果我们违背了他的话，他准会和咱们结成仇敌。如果到了这一步，我们不一定能得到狮子皇帝的奖赏，反而会受到那个厉害的白猿的无情报复呢！我看这么做划不来。"

兰听明白了黑人的话，趁势说："你们要放明白些，那个白猿非常厉害，你们把他当作朋友对待，自然比拿他当敌人待好处要多得多。他能赤手空拳打死一头凶猛的狮子。你们刚才不是亲眼看见了吗？他扛起大猩猩的尸体，多么轻而易举！他还能在树上腾跃，比你们走平地要快得多。所以，你们要仔细想好了，你们如果惹下这样一个仇人,想想看,你们还会有太平日子过吗?如果你们聪明,就应该把他当作朋友,按他的吩咐做!"

那些黑人静静地听着她说话,在他们木呆呆的脸上,看不出有什么表情。这样相持了相当长一段时间,一群粗笨的黑人和一个美丽的少女就这样默默相对地站着。最后,兰用一种高贵的口吻命令道:"快给我预备屋子!"这位太阳教的女主教、奥泊城的女王,拿出她平时命令奴隶的神情来,她这副派头,马上改变了村人们对她的态度。兰这时才知道,泰山的话一点也不错,这些黑人,用恐吓的办法,是会使他们唯命是从的。接着,黑人们都急急忙忙地转过身去,好像被主人驱赶着的狗一样,不敢再反抗,就去干自己该干的事去了。有几个人,选好了一间木屋,替兰打扫得干干净净,还找来了新鲜的草和叶子,铺在木屋里的地上,又找了些水果和坚果,给兰当食物。

等到黑人把一切都备办好了,兰抓住那根吊在屋底上的绳子,爬到了屋子里。她打量了一下屋内,觉得布置得还舒适,空气也很充足,也算得上清洁。她躺在柔软的草上,小屋子微微摇动着,有一种睡在摇床上的感觉,闻着新鲜草的香味,她渐渐地进入了梦乡。

十
窝里斗

在奥泊城外山谷的西北面,有一个营地,那里似乎正在做饭,一缕缕的炊烟,正从灶里袅袅地升向空中。那儿有许多黑人和六个白人正在吃晚饭。黑人们都蹲在离白人稍远的地方,一边吃一边在嘀咕着什么,原来他们在抱怨活儿太累,工资给得太苛刻,同时又不让大家吃饱肚子。那六个白人似乎也明白黑人们在想什么,他们怀着恐惧的心情,各自握着武器,在皱着眉头。这六个人中间,有一个少妇在对她的同伴说:"都怪布鲁伯尔太吝啬,同时也怪埃斯特本的自吹自擂,使我们今天到了这步田地。看来,那些黑人都满腔怨愤呢,但愿他们不要哗变。"

那肥胖的布鲁伯尔听了这话,好像很不高兴,没敢说什么,只耸了耸肩膀,身材高大的埃斯特本也皱着眉头。

布鲁伯尔终于忍不住了,问道:"本钱都是我出的,到头来还要埋怨我,这还有天理吗?"

那少妇说:"成了,你就少说两句吧!还不是都怪你太吝啬了!为什么不多雇几个脚夫呢?我早就跟你说过,我们至少需要两百个黑人,可是你偏偏心疼那几个钱,你看见了吧?现在结果怎么样?只雇了五十个人,每人要背八十磅重的金块,其他的脚夫,背着我们的行李,已经有点受不住了。剩下几个黑人,给我们做护卫还不够用。我们必须不顾他们的疲劳和暴怒,逼着他们多走些路,万一他们闹起事来,说不定会把咱们都杀了。其实,他们的要求也不高,只要我们能让他们吃饱肚子,他们就会高高兴兴地继续赶路。我是比较熟悉这些土人的脾气的,他们只要肚子没吃饱,干什么都会无精打采,必然会偷懒。如果埃斯特本不那么夸口,吹他自己是什么狩猎专家,我们也会多带些干粮来,也好维持到最后。可是现在,我们的口粮只剩下一点儿了,我看,只够我们往回走一小段路的了。"

埃斯特本也终于忍不住了,咆哮起来:"你让我在没有野兽的地方怎么狩猎?"

克赖斯基马上慢悠悠地反驳说:"这里并不是没有野兽,我天天都看见野兽的脚印呢!你不说你自己吹牛!"

埃斯特本也不服输地说:"你说这里可以打猎,你自己为什么不去打?"

克赖斯基仍然慢悠悠地说:"可是,我并没有自夸是狩猎专家啊!不过,如果我有一张弹弓,或是一支玩具手枪,我不会比你逊色。"

埃斯特本像被针扎了一样跳了起来,看样子是要挥老拳了,克赖斯基却拔出一支实弹手枪,枪口对着埃斯特本。

弗洛兰马上跳到他们两个中间,尖声喊道:"停止你们的争吵!"

这时,约翰·皮勃勒斯嚷道:"让他们两个家伙打个你死我活去吧,他们两人中如果打死了一个,咱们不还会少一个分钱的人吗？"

布鲁伯尔说："你打哪儿来的这种想头？难道钱还不够咱们分吗？我算过了，咱们每个人能分到四万三千镑还多呢！你们恨我的时候，骂我是个卑鄙的犹太人，还要说我吝啬。现在，上帝啊！你们大家都听见了，你们可都是基督教徒，可你们比我还坏呢！为了多分点钱，巴不得送了朋友的命。嘿，幸亏我不是基督教徒。"

瑟洛克愤怒地咆哮道："住嘴！不然，我们又将多出一个四万三千镑来分了！"

布鲁伯尔有点害怕地望着高大的瑟洛克，轻声地带点奉承地语调说："得啦，得啦，瑟洛克，你一向是个有修养的人，你不会因为这么一点小事，就发那么大的脾气吧？你说是不是？咱们可都是志同道合的好朋友啊！"

瑟洛克说："我对这种吵闹感到恶心。其实我这个人，也并不像你说的是个什么有修养的绅士，我不过是个跑腿儿的罢了。不过，我的头脑很清楚，我明白弗洛兰是咱们中间的一朵鲜花。布鲁伯尔、克赖斯基和我，只是能够筹备到一点款子，用来实现弗洛兰的计划。至于他……"他说到这里，指了指埃斯特本，"只不过因为他的面貌身材合格。其实他的工作只是装装样，无需用脑子的。相反，我们却绞尽了脑汁，弗洛兰的头脑够用，有指挥若定的才能，足可以做咱们的领袖。要是我们所有的人都能明白这一点，就应该团结一致地服从她，顺顺当当地快些往前走。以前，弗洛兰曾经跟着泰山到过非洲。弗洛兰，你不是服侍过爵士夫人吗？弗洛兰熟悉非洲这地方的情况，甚至这里的土人和野兽，这里的一切，她都比我们熟悉得多。"

克赖斯基也接过话茬说:"瑟洛克说得不错,我们没有必要做这种无谓的争吵。我们当中,只能选弗洛兰做我们的领袖。在这里,只有她一个人有资格把我们中间任何一个,驱逐出去。"

他这个意见,得到了大家的赞成,皮勃勒斯说:"弗洛兰,现在你就是我们的领袖了,你说怎么办我们就怎么办。现在你就发号施令吧!你说下一步咱们该怎么进行?"

弗洛兰说:"好,你们大家都听好了,我们就在这个地方扎下营地,大家趁机休息一下,明天一早起程,先把路上吃的肉食备足了。有这些黑人出力,我们不愁这件事办不到。对他们,我非常了解,只要他们吃饱了肚子,有了精神,什么事都好说。我们慢慢向海岸走,别让他们过分劳累,其实,别把他们使得太苦,效果反而更好些。这是我的第一步计划,但是能不能顺利进行,全看我们猎取肉食的成绩如何。如果我们找不到足够的肉食,那就得另打主意了。我主张咱们把黄金先埋在这里,做好记号,日夜兼程,赶到海岸去。在那里再雇些脚夫,我算计着,起码比现在要多两倍。人添多了,自然要多备些干粮,要够我们一来一去吃的。暂时不用的东西,也可以先藏在埋黄金的地方,我们下次来时,一并拿走。脚夫们的负担轻了,效果等于多了一倍的人一样。这样,他们可以轮流工作,有劳有逸,走路反而可以快些,他们也不至于怨声载道了。这就是我的全部计划,我看,我可以不必征求你们的意见了吧?你们既然推举我做领袖,从今往后,只要认为我说的是对的,你们就照我说的去做就是了。"

皮勃勒斯说:"我认为这样好极了,我赞成你说的办法。"

于是弗洛兰就吩咐克赖斯基说:"克赖斯基,你去叫一个黑人头目过来,我有话对他说。"不一会儿,那个俄国人就领了一个身材魁梧的黑人进来。

那黑人头目毕恭毕敬地站在弗洛兰面前,等待着她的命令。弗洛兰说:"奥瓦扎,现在我们粮食不够吃,黑人们又需要背负极重的金砖,我看这样是不行的。你去告诉大家,我们今晚就在这里休息,明天全体都去打猎,把我们的肉食准备充足了。你把你的部下分成三队,挑选三个勇敢的人领路,打一打草丛,替我们把野兽赶出来。这样,我们可以多打到一些猎物,咱们大家都可以放开肚子大吃一顿。哪里野兽多,我们就在哪里打猎,把猎物打够,我们就休息。明天猎足了食物,我们就可以安稳地到达海岸了,到了那里,卸下金砖,我会加倍地赏赐你们的。"

布鲁伯尔一听,马上感到心疼了,唾沫横飞地说:"哎哟哟!你怎么现在就说加倍赏赐呢?弗洛兰,你为什么不给他们加百分之十呢?其实,就是百分之十,也算给他们加了不少的利息了!"

克赖斯基实在忍不住了,大声喝斥着说:"住嘴!你这个傻瓜!"布鲁伯尔耸了耸肩膀,摇晃着身子,又摇着脑袋,显出一副不高兴的样子。

奥瓦扎听完了弗洛兰的话,马上笑逐颜开了,说:"我这就去告诉他们。我想,这样一来,他们都会高兴起来,不会再嚷吃不饱肚子了。"

弗洛兰说:"那好,现在你就去告诉他们吧!"奥瓦扎领命,转身走了。

弗洛兰嘘了一口气,如释重负地说:"我相信我们的工作可以一帆风顺了。"

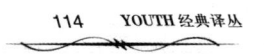

布鲁伯尔还是感到心疼地说:"哼!好个一帆风顺,你可说了,要加倍赏赐哟!"

第二天早晨,这伙人全体都出去打猎。那些黑人都非常高兴,有说有笑,大家都希望多吃到点肉食,他们迈开大步踏进丛林的时候,有的人都愉快地唱起歌来了。

弗洛兰把打猎的人也分成三队,每队都安排了领队人,头目们在指挥着轰赶野兽的人怎样去把野兽赶出来。其他的黑人,都跟在克赖斯基后面,扛着猎枪,大家都摩拳擦掌,准备大显身手。只有少数人,留在营地,做好看守工作。白人之中,除了埃斯特本之外,都拿着来复枪,只有埃斯特本一个人,还在装泰山,是用长矛和弓箭的,他只有用这两种武器,才配合他的扮相。他虽然这一路上也打过不少次猎,可是什么鸟类兽类都没有打到过,就是这样,他还不断地夸口,自命为人猿泰山。他竭力模仿着泰山,他当过演员,化妆术自然比别人高明,又天生一副魁梧的体格,脸上也还算英俊,和泰山还真是相像,正因为如此,他就更有恃无恐地自欺欺人起来了。在那些黑人之中,过去也有些认识泰山的,现在虽然被他哄骗了,没能完全识破他,但心里总有点疑疑惑惑的,总觉得他什么地方不大像泰山,若真是泰山,怎么在打猎上老是失败呢?

弗洛兰在这六个白人之中,要算是聪明的,该管的事,她决不放松,但她同时也明白,没有必要去管的事,可以不去多加阻挠,就任凭埃斯特本用他自己的方法去打猎。虽然她知道这样做,她的同伴们是不满的,可她认为没有必要在这些小事上斤斤计较。

等埃斯特本走了之后,弗洛兰说:"对埃斯特本这个人,咱们不得不宽容些,谁让拿金子的事用得着他呢?其实他就是用来复枪,也照旧打不着野兽,还不如让他用长矛和弓箭摆摆样子算了。我们之中,克赖斯基和瑟洛克都是打枪的好手,不愁打不着猎物。咱们今天打猎的成绩,主要靠他俩。至于埃斯特本,我们不用指望他,就让他装装样子去吧!他万一真能打到两只兔子,也算意外的收获呢!"

克赖斯基说:"埃斯特本这个无用的东西,我真想扭断他的脖子。我们要他办的事,已经办完了,我们何不除掉他,那不是更好吗?我不懂你为什么不同意这样做?"

弗洛兰摇摇头说:"不,我们不该有这种想法。咱们应该团结一致,善始善终。如果你希望我们六个人中某一个人死去,你怎么敢保证别人不也同样希望你死去?所以我说我们任何人都不应该存有这种想法。"

克赖斯基说:"对别人我都没有什么,唯独希望埃斯特本死去。我甚至在梦里都提防他,这个坏蛋,说不定在哪个月黑之夜,会一刀把我杀死。现在你还替他说好话,就越发让我憎恨他了。弗洛兰,我觉得你对他实在太宽容了。"

弗洛兰说:"你们既选我当领袖,就该一切听我的。至于我怎么对待每一个人,你们无权干涉。我劝你不要背后嘀嘀咕咕的。"

他们于是都着手去打猎,克赖斯基紧皱着眉头,还是很不痛快的样子,他似乎存心要找机会报复埃斯特本。其实此时的埃斯特本,虽然在森林里打猎,但是心里也装满了嫉妒,他的野心还不小呢,他什么都想独吞,连弗洛兰带黄金,他都想据为己有。他对他们之中的每一个人都怀恨在心，认为这几个男人都可能是他的情敌，都有可能跟他抢夺弗洛兰。他认为少一个争夺者，就少一个分走四万三千英镑巨款的人。他的心思完全在这上面，对于打猎，当然心不在焉了。埃斯特本漫不经心地走到一块空场前面，看见一群五十多个高大的黑武士，跟他面对面地遇上了。他一时吓呆了，站在那里，不知如何是好，由于心里害怕，也顾不得再想该如何表演了。现在他只有一个想法，自己是一个孤零零的白人，在这荒野的非洲中部，碰见了这么一大群好勇斗狠的黑人，说不定这一群还属于吃人的民族，这下，自己恐怕真的要没命了！就在他不知所措地发愣的时候，没想到他所遇到的，倒是幸运的事。原来，他碰见的这一群，正是泰山庄园上的瓦齐里武士，他们以为对面站着的，正是他们所要寻找的、平时最最敬爱的主人——人猿泰山。

有一个黑武士跑到他面前，高声地叫着："大宛那啊，我们最尊敬的主人，我们可找到你了！你知道我们是多么想念你这个丛林之王啊！我们等你等不回来，以为你走迷了路。我们这一群，你的忠勇的武士们，从庄园出来，日夜地寻找你，一直找到现在。如果现在还找不到的话，我们甘愿冒着千难万险到奥泊城去。我们猜想你不肯带我们去，一定是在奥泊城遇到什么危险了。"

这个说话的黑人，有一次曾经跟着泰山到过伦敦，所以也学会了一点点英语，平时靠了有这么点长处，总爱在他的同伴面前表露一下，今天，总算给他找到一个卖弄的机会了，于是说了一通半像不像的英语。这个偶然的卖弄，对于埃斯特本来说，倒是个绝大的侥幸，因为埃斯特本这个人，是懒于学习新东西的，他虽然用了不短的时间学习非洲西海岸脚夫们的土语,到如今,也只是勉强能听懂,若要他用来和土人对话,那还是远远不够的,至于瓦齐里的语言,他怎么能听得懂呢?弗洛兰曾经把泰山的生活习惯告诉过他,当他明白了自己面前的一群黑人是什么人时,他慌乱的心渐渐镇静下来。在这以前,他没有看见过这么高大的黑人,他仔细看他们,面貌大多生得很端正,身体都强健有力,脸上和当地的土著人不同,有一种聪明的气质,埃斯特本相信他们的文明程度一定比当地土著人要高得多。埃斯特本感到自己没有危险了,于是完全镇静下来了,立刻又运用起了他的表演技巧,不让自己露出一点窘态。他静静地站了一会儿,把这群黑人扫视了一遍,然后才开口说话。他深深知道,目前自己的安危,完全系在这一套表演上了。也算他情急智生,一个新主意飞进脑袋,于是他整理了一下思路,缓缓地说:"我和你们分别之后,在丛林里遇见了一队白人,他们也是打算到奥泊城窃取金砖的。我一直跟着他们,到了他们的营地,然后我才来找你们。他们人数很多,已经到过了奥泊城,偷到了一定数量的金砖,现在,我知道他们的金砖放在哪里。你们快跟我来,到他们的营地去,从他们那里,把黄金夺过来。你们快跟我走吧!"说着,他就领着瓦齐里武士们,朝自己的营地进发了。

他们在丛林里的路上走着的时候,那个会说英语的瓦齐里武士乌色拉就走在埃斯特本的旁边。在他们身后,另外的瓦齐里武士用当地的土著语在谈着话,埃斯特本一句也听不懂。他听乌色拉也在跟他说话,所说的内容是他不知道的,因此他也不敢搭腔,怕言多语失露出马脚来。乌色拉不明白他这种心理,偏偏不停地在说，弄得他心急火燎的。但他忽然想起来一件事，记得弗洛兰曾经跟他说过，泰山从前到奥泊城时，曾遇到过地震，头部受了伤，因而失去过记忆。埃斯特本这时突然醒悟过来，唯恐自己刚才过分走神，忘记了扮演泰山的事，会不会露出破绽来呢？自己身边这群黑人，可都是十分熟悉泰山的，想到这里，他觉得自己必须多加几个小心才是。自己这时要躲是躲不开了，只好硬着头皮对付他们。

于是他转过身来，对乌色拉说："你还记得从前我在奥泊城金库中，头部受伤而失去记忆那回事吗？"

乌色拉回答说："是的，宛那，我当然不会忘记那件事。"

埃斯特本装出一副愁眉苦脸的样子说："这回我又遭到了同样的事，只不过不是地震，却也是碰伤了头部，只是比前次轻一点。一株大树倒下来砸到我头上了，幸亏我躲得快，砸得不算太重，从前的事，没有完全失去记忆，但有些事，要比较费劲，才能回忆起来，而且头部还感到疼。很多事都想不起来了。刚才我还在想，你叫什么名字来着？我背后这些瓦齐里人说的话，我也不完全听得懂了。"

乌色拉非常心疼地看着他的主人，说："宛那，你这些话，乌色拉听了心里多么难过呀！这一次你怎么又遇到不幸的事了呢？好在有我乌色拉在，有些事我可以提醒你。"

埃斯特本说："好的，你把这件事也告诉给你的伙伴们，让他们大家都知道，我已经把许多事情都忘记了。现在如果没有你们，我简直找不到回家的路呢！有好多往事在我记忆里都是模糊的。不过，按你刚才说的，乌色拉，恐怕我还会像上次一样，过一段时间就会恢复我从前的记忆的。"

乌色拉说:"你忠勇的瓦齐里武士,都会为敬爱的主人虔诚地祷告,希望这一时刻早一点来临。"

当他们走近营地的时候,埃斯特本警告乌色拉,并要他转告他的伙伴们,大家都不要出声,叫他们先站在空场的旁边,由埃斯特本去侦察帐篷四周的动静,那里只是五六个黑人凑成的一个小队。

埃斯特本侦察完了以后,对乌色拉说:"他们只有五六个人,见我们人数比他们多,他们决不会反抗的。我们先把营地包围起来,然后你们听我的口令,一齐冲上去。由乌色拉去大声告诉他们,人猿泰山带着他的武士们,来索还被他们偷去的黄金了。只要他们顺从地离开这里,以后不再来滋事,泰山可以饶恕他们私入领地,盗窃黄金的罪过。"

这一行动计划,居然一帆风顺,让埃斯特本达到了目的。他本来可以让瓦齐里武士把守营地的黑人杀光,可是在他老奸巨猾的头脑里已有了一条更好的计策。他要让这些黑人亲眼看见自己和瓦齐里武士在一起,然后借他们的嘴,去告诉弗洛兰那一帮人,黄金是被人猿泰山拿走了的,休想再夺回来。于是他命令瓦齐里人,在营地里把金砖全部收拾起来,以便自己安安稳稳地带走,不费事地把黄金独吞掉。他觉得这真是个绝妙的好主意。

乌色拉用了一刻钟的工夫,让武士们在营地四周埋伏好,然后回到埃斯特本面前报告,说一切都准备好了,只等下命令了。

埃斯特本对乌色拉说:"你让他们大家都注意看着我,当我举起手来的时候,你们就一起向营地发起冲锋。"

然后埃斯特本走进空场,有一个守卫的黑人看见他了,认得他是埃斯特本。没想到埃斯特本向前走了几步,在鹿砦旁边站住了,说:"我是人猿泰山,你们的营地已经被我的武士四面包围了。你们不许有反抗行动,我才可以不杀死你们!"

说着,埃斯特本把他的手一抬,五十个瓦齐里武士,从四面的绿树丛中齐刷刷地冲了出来。守卫的黑人见来了这么多的黑武士,一个个又高又大,吓得胆战心惊,但还是哆哆嗦嗦地举起了来复枪。

埃斯特本高声喊道:"不许开枪!你们几个人没看见我们有多少人吗?我们可以轻而易举地把你们杀光!"于是他冲上前去,瓦齐里武士们紧跟在他身后,把营地围了个水泄不通。

埃斯特本说:"乌色拉,告诉他们,我们是什么人!"

乌色拉往前走了一步说:"我们是人猿泰山庄园上的瓦齐里武士,这位就是我们的主人——人猿泰山,有名的丛林之王。我们此来,是为了索回被你们偷去的奥泊城的金砖。只要你们顺从地离开这里,以后不再来,我们可以饶恕你们。等一会儿你们的主人回来了,你们就告诉他们,就说泰山带着他的瓦齐里人,取回了原本属于他的黄金。现在,乖乖地放下你们的枪!"

这时,那些黑人守兵也看清了面前的阵势,为了求得活命,只好服从了乌色拉的命令。

于是埃斯特本率领着瓦齐里武士走进了帐篷,由埃斯特本指挥,把四周的黄金都搬到一块儿来。当瓦齐里武士忙着搬金砖的时候,埃斯特本走到一个守兵的跟前去,他知道这个黑人会说一些半通不通的英语。

埃斯特本对他说："等一会儿你的主人们回来后，你就告诉他们，他们侵犯了我的领地，掠夺了我的财物，这是严重地冒犯了我。但一直到现在为止，我只杀死了那个冒充人猿泰山的坏蛋，把他的尸体喂了狮子。这点惩罚对你们来说，已经够宽大了。何况，我还饶恕了你们在初次见到我时，在咖啡里给我下了麻药的罪。不过，要我彻底宽恕你们，我也有一个条件，那就是不许他们再到非洲来，也不许泄露奥泊城藏有黄金的秘密。以后，谁敢再到非洲来，都瞒不过泰山的眼睛，因为不止泰山一个人看守着自己的领地，我部下还有许多非常忠心的瓦齐里武士呢！你们的主人们在离开伦敦之前，泰山已经知道他们要来了。记住，别忘记把这些话统统告诉你的主人！"

没用多大的工夫，瓦齐里武士已经把黄金全部聚集到一块儿了，这时，那些守兵受惊的心情，还没恢复过来，而瓦齐里武士在前，泰山在后，一起往丛林里走去了。

一直到这天的下午，弗洛兰和另外的四个白人，才带领着一些黑人打猎回来，那些黑人都喜气洋洋，因为每个人身上都背着丰富的猎物。

克赖斯基说："弗洛兰，我真佩服你，你不愧是女中豪杰呢！你的筹划真的不错。我们已经有了足够吃的肉食，可以维持十几天的口粮了，让这些黑人填饱肚子，他们总该好好地赶路了。"

布鲁伯尔说："克赖斯基说得不错，我也觉得咱们的这次行动渐入佳境了。"

瑟洛克说："你现在也说渐入佳境了，你过去那些抱怨的话可真是罪过呀。你不知道，弗洛兰才真是个妙人儿呢！谁敢不佩服她的胆略和才干？"

皮勃勒斯突然发现了什么，吃惊地大声问："嗨，该死的不对劲呀，出了什么祸事了？"他指着空了的营地说。这时，那些守兵也正慌慌张张地向他们奔过来，失魂丧魄地、乱哄哄地向他们嚷着说："你们之中一路上装人猿泰山的、你们称他埃斯特本的那位先生回来过了。他却带着一大群瓦齐里武士，可都是些凶神恶煞的人啊！我们只有五六个人，抵挡不住他们，那些黄金都被他们搬走了！他临走的时候，还对我们说了些莫名其妙的、我们不懂的话。他说，他杀了那个胆敢自称是人猿泰山的人，还说把他的尸体喂了狮子。我真弄不懂，早晨，埃斯特本不是一个人独自出去打猎的吗？可是，你们刚出发不久，他就回来了，指挥着五六十个雄赳赳的武士，把所有的黄金都搬走了，说这些黄金原本是属于他们的。临走时还极严厉地说，以后不许咱们再到这里来！怎么就这么一会儿工夫，他走了一小会儿，回来之后，就变成了真的人猿泰山了呢？我们真被他弄蒙了。"

布鲁伯尔气急败坏地说："什么？黄金一点儿不剩地都搬走了？这下全完了！全完了！"

他们七嘴八舌，忙着问这问那，闹得个人仰马翻，直到弗洛兰一声断喝，命令他们都安静下来。

弗洛兰把守兵的头目叫来，说道："走！我们先回到营地里面去，你慢慢地告诉我们，自从我们走了之后，事情是怎么发生的。"

她仔细听完了守兵头目的叙述，又拣着紧要的地方问了几句，然后她让那个黑人走了。

她转身对她的同伴们说:"现在我全明白了,来的这个不是埃斯特本,是真正的人猿泰山,他从咱们给他的麻药里清醒过来之后,就带着他的瓦齐里武士跟踪着我们,杀死了埃斯特本,找到了营地,把黄金完全抢了去了。现在摆在咱们面前的路只有一条了,那就是只求安全地逃出非洲,若能保住一条活命,就已经算侥幸了。"

布鲁伯尔忍不住大叫起来:"哎哟!这个恶魔呀!他抢走了咱们所有的黄金,我们白花了两千金镑的资本呀!这不是要了我的命吗?"

瑟洛克不耐烦地骂起来:"别吵!别再趁乱添乱了,你这吝啬的犹太鬼!假如没有你和那西班牙讨厌鬼在这里,还许闹不出这个乱子来呢!那个西班牙人只会吹牛,自夸是个狩猎能手;你呢,是个斤斤计较的吝啬鬼,连累得我们大家都没有好果子吃。现在已经弄到了这个地步,大家商量商量该怎么办吧!依我看,埃斯特本被泰山杀死了,这倒是大快人心的事。其实,像你布鲁伯尔这样的坏蛋,也欠让泰山杀死呢!连我都想扭断你的脖子!"

皮勃靳斯看着他们要打起来,赶快出来打圆场说:"吵有什么用?都别吵了。事情既然已经到了这一步,我看,我们大家还是应该放下一切成见,团结一致,共同去追泰山,若能设法抢回咱们的黄金来,岂不是一切都好了吗?"

弗洛兰笑笑说:"别做梦了,世界上没有那么好的事,我是熟悉泰山的。即使只有他一个人,咱们大家都不是他的对手,何况他还带着那么多瓦齐里武士呢。在非洲这块地盘上,再没有比他们更英勇善战的部落了。他们都很忠于泰山,肯为泰山决一死战,到死方休。你去问问奥瓦扎看,看他敢不敢带着部下,去追赶人猿泰山,把金子抢回来?我估计他一定不敢。因为在这里,只要一提起人猿泰山,没有一个黑人不是胆战心惊的。现在,黄金是休想找回来了,我们看能不能设法逃出这里,这还要看咱们的命运如何呢,因为很难说,泰山会不会在哪里等着咱们。依我说,我们悄悄地走,别惊扰了他。也许这时候,他正在哪儿守望着我们呢!"

她的同伴们听了这话,都用恐惧的目光向四下里探望,两眼直勾勾地望着那阴森森的丛林。弗洛兰想了想说:"我们带的这群黑人,即使愿意再回一趟奥泊城,在暗地跟踪咱们的泰山,也决不会容咱们再去了。"

布鲁伯尔听了弗洛兰的话,完全绝望了,不禁号啕痛哭起来:"两千镑!我的两千镑啊!仅仅这套衣服,就花去了我不少钱。在英国伦敦我可没脸穿这样的衣服,除非参加化装舞会,但是,我一辈子都没有过这样的机会。"

克赖斯基始终一句话也没说,两眼看着地上,静静地听别人讲话。许久,他抬起头来说:"我们已经丢失的黄金,休想再找回来了。在我们没有回到英国之前,这一路上,总还是要花费的,我们应该算一算,带来的两千镑,现在还剩多少。我们这次整个的行动,要算是彻底失败了,也许你们会灰心丧气地回去,我可不打算这样。在非洲,除了奥泊城的黄金之外,难道就没有别的可拿的东西了吗?我认为,在我们临离开这里之前,总该再拿点别的什么东西,把我们这次远行的损失,多少补偿一点回来。"

皮勃勒斯问:"你这话是什么意思?"

克赖斯基说:"你们听我说,我这一路上,费了不少时间和奥瓦扎闲聊,我本来是想学点他们的土话,没想到这一闲聊,倒有了意外的收获。我简单一点说吧,我们离开非洲之前,还可以得到一大笔外财,从这里带回英国。另外,我和弗洛兰的看法不一样,对奥泊城的黄金,我还是不想放弃。泰山夺得黄金之后,会运回他的庄园去,我就不信他会老跟踪着咱们。等过几天,这件事稍稍平静之后,我还是想到奥泊城去,拿到我应得的那一份。"

弗洛兰始终在注意地听着他说,听完了之后才问:"你所说的一笔意外收入到底是什么?奥瓦扎都跟你说了些什么?"

克赖斯基说:"奥瓦扎在闲谈中无意间告诉我,说就在这一带,过去有一小队阿拉伯人,专门抢劫奴隶和象牙,奥瓦扎知道他们的行踪,也知道他们的营地在什么地方。他们的人数并不多,他们那里的黑人,大多是抢来的奴隶,我们只需下一点工夫,就不难把他们引诱过来。现在我的想法是:咱们的人数是超过他们的,再诱使他们的奴隶叛变了,很容易就可以把他们的象牙夺过来。我们并不需要他们那些奴隶,他们在我们这里,没有什么用处,我们正好做个空头人情,允许他们自由,就以此作为条件,叫他们里应外合帮助咱们。事成之后,奥瓦扎和那些有功的黑人,都分给他一份象牙就是了。这可是一笔不要本钱的买卖啊!"

弗洛兰说:"你怎么能肯定奥瓦扎一定肯帮忙呢?"

克赖斯基说:"这意思倒是他自己先表露出来的呢。"

皮勃勒斯说:"我很赞成这个主意,看来要成功也并不困难,正像克赖斯基说的,这是一笔不要本钱的买卖。"

其他的人也都表示了赞成。

十一
狮子称王

泰山扛着大猩猩的尸体,离开了黑人的村落,向着刚才看见一排屋子的山谷走去。一路上,他被好奇心所驱使,也就没有考虑会不会被野兽发现,只管在上风头飞奔着。渐渐地,他从嗅觉上判断,已经走近大猩猩的地界了。他闻到在大猩猩的气味之中,还夹杂着黑人和烧煮肉类的气味,在这些气味之外,还有一种浓烈的香味,是泰山从来没有闻到过的,他猜想,可能是燃烧什么植物所发出来的香气。泰山又进一步判断,这种香气,不一定是从大猩猩住的地方发出来的,很可能是从那些屋子里发出来的。那些屋子,大猩猩建造不出来,一定是由人类建造的。说不定现在还有人类在那里住着。泰山努力地嗅着,在众多气味之中,他并没有嗅到白人的气味。

泰山越走近大猩猩住的地方,那气味越浓,为了安全起见,他扛着死猩猩,跳上树去。这样,他可以站在树上,借着枝叶的掩蔽,仔细观察下面。他看见有一片高墙,墙里可隐约看见一圈形状怪异的建筑群的轮廓,这些建筑非常奇特,它很难在地球上别的地方见到,似乎是属于另一个世界的东西。一阵阵浓烈的香气,夹杂着大猩猩和狮子的气味,从围墙那边送过来。在围墙与丛林之间，有一片空地，宽阔约有五十尺。墙上没有倒垂下来的树枝，泰山不便攀爬，只好从树上走到更近一点儿的地方，藏身在枝叶浓密处，从墙头上向里面望去。

墙里的屋子，都建得很高大宏伟，但仔细看去，建筑的式样都不相同，好像是建筑于不同的时期。房子并不少，但找不到两间是完全一样的。每间房子都建在约十尺高的台阶上，那高台显然是人工砌成的。墙是用花岗岩筑的，明显地看出花岗岩上有风雨剥蚀的痕迹。屋子外有一层层石阶，通到地面上。在屋子的四周有树木，那些树木的样子，过去泰山在书上看到过，仿佛都是上古时代的。最引人注目的，是一座雄伟的瞭望塔，塔身上全被长春藤覆盖着，塔身装饰得十分富丽，塔尖上闪烁着黄金和钻石的光芒。泰山再细看屋子外面那花岗石的墙壁上，也有黄金和钻石镶嵌着。

围墙内的面积，有十五到二十英亩，其中屋子占据了绝大部分。在屋子前面的平地上，有人行小径，也有灌木丛和观赏树木。泰山再往下看，在他目力所及的地方，好像是一处菜园。菜园里有许多裸体的黑人，就像刚才泰山和兰所看到的那个村落的黑人一样。其中有男人也有女人，他们好像是专管围墙内田园里的耕作的。里边还夹杂着有几只大猩猩，和刚才泰山射死的那只一样。但它们并不参加耕作，似乎是监督黑人的。它们对待黑人的手段非常野蛮。这些大猩猩身上，都戴满了珠光宝气的装饰品，这一点，也跟泰山射死的那个大猩猩一样。

泰山望着下面，看得十分出神。忽然看到有两只大猩猩，从一扇门中跑出来，奔到了甬道上。那扇门很高大，约有三十尺宽，十五尺高。这两只猩猩，都扎着头巾，头巾上插着雪白的长羽毛，它俩站在甬道两旁，一齐把它们的前爪伸到嘴边，做成一个喇叭筒的样子，然后发出一种奇怪的叫声，好像是号角的声音。那些正在耕作的黑人听见了，马上停下手里的工作，跑到一个石阶前，他们分成两排，站在石阶的两边。排得整整齐齐，仿佛形成了一条活的走廊。等了一会儿，从屋子里又发出了第二阵像号角一般的叫声，接着，泰山看见一排仪仗队，从屋子里走出来。最前面的是四只猩猩，每个头上也插着美丽的羽毛，手里拿着一根粗木棍。后面跟着两个猩猩，是吹鼓手，在吹鼓手的后面，大约相隔二十步，走出了一只黑毛大狮子，由四个黑人牵着，慢慢走过来。那四个黑人，在狮子身边，每边两个，手里拉着挂在狮子颈上的金链，金链的另一端，系在狮子镶有钻石的项圈上。在狮子后面，还有二十多只大猩猩，四个一行，排着整齐的队伍，缓步走出来，它们都拿着长矛，看那架势，好像是保卫狮子的什么卫队。泰山看着，觉得又新奇又好笑，这真是见所未见呢。这二十多只猩猩，执着长矛，整齐地走着，它们到底是保卫狮子呢？还是保卫人民免受狮子的攻击？这一点，泰山观察不出来。

当狮子经过的时候，站在两边的猩猩都弯下腰去，显出十分恭顺的样子。狮子走到石阶的最高处，那些黑人都在下面磕头跪拜，那头老黑狮，就威风凛凛地站在那里，泰然地看着俯伏在它面前的黑人。它那凶恶的眼睛，衬着尖利的长牙，还不时发出一阵阵怒吼，吓得那些黑人连头都不敢抬，脸上一副诚惶诚恐的样子。泰山皱着眉看着这一切，沉思着，他生平还从来没有见过人类会在野兽面前如此卑躬屈膝过。接着，侍奉狮子的队伍又开始行动,走下石阶,向右边穿过菜园。它们走完之后,黑人和猩猩才站直身体,继续他们被打断的工作。

泰山在高高的树上,仍继续遥望着,希望能找到解释这一切的答案。这时,狮子和它的随从们,已经拐过宫殿的墙角,看不见了。泰山不禁暗自思忖,这头狮子,到底算个什么?它凭什么统治这些黑人?还有这些奇怪的猩猩?泰山更想不明白的是,为什么人与兽之间,会颠倒到这种地步?人类被压到最低级,处于兽类的地位之下。他们对之毕恭毕敬的倒是一头吃人的野兽。泰山边看边思索,颇花费了一些时间。这时,泰山忽然听到,在对面殿角的尽头,号角声又响起来了。他抬眼再望过去,狮子率领的那支队伍,又重新来到菜园里。号角声一直吹着,那些黑人和猩猩又排列成他们刚才的队伍,在由石阶通往王宫的那条路上,又重复了一番像刚才一样的礼拜。那狮子大模大样走进王宫里去了。

人猿泰山用心地观察着、思索着,怎么也想不出其中的道理,正因为如此,倒更激发了他的好奇心,他想,不如更进一步对王宫做一圈考察,然后再去寻找出山谷的道路也不迟。

于是泰山索性把猩猩的尸体放在他藏身的树上,自己空着手,就轻松多了。他开始慢慢绕着那房子走去,以便在围墙外的树林中间,把一切都看个仔细。他见屋子都被围墙包围着,只有王宫的西南边有一处牧场,牧场里养着一大群山羊和鸡。在牧场的上边,也有几间摇曳的木屋,就跟刚才那个村落里黑人住的一样。泰山想,这些木屋一定也是黑人住的,这些人可能是给王宫干粗活的。

那些高大而厚实的花岗石围墙,显然是保卫着墙内的一切的。在王宫东墙的对面，有一扇单独的门，看样子是个出入口。这扇门很大，建造得也很考究，一眼就能看出，这是用来抵御来进攻的大队的敌人的。泰山想，看这扇门的建造法，好像是能抵御炮击的，可是，能装备重炮的军队，过去在非洲这个地方，是根本没有的，泰山猜度那段墙和那扇门，一定是被人遗忘了的大西洋的遗民们造来保卫那座钻石王宫的，当时建造这座王宫的人，恐怕是防备欧洲的人带着优良的军备，也到非洲中部和奥泊来，从事寻找和开采金矿的事业。

围墙、大门和王宫到底建造于何时，现在已经不可考了，可是看来目前还焕然一新的样子，这里一定住着有理性的人类。泰山向南边望去，那里有一座□望塔，似乎正在建筑，还没有完工。黑人们在大猩猩的监督下，在那里堆砌着花岗石。

泰山站在靠东边那扇门上面的一株树上，看着那座王宫和来来往往的人们。正在这时，有一大队黑人，从树林里出来，走进了围墙之内。他们每四个人抬着一块未经雕刻的花岗石。有两三个大猩猩，押着一大队脚夫，前后还各有一小队黑人战士，举着斧子和长矛，在那里戒备着。那些黑人和猩猩，在泰山看来，就像一群被人用鞭子驱赶着的骡子，在跋涉着艰难的道路。如果其中任何一个显出了怠惰和无力前进的神态，马上就会有长矛戳到他身上来，这可是比鞭打要疼痛得多的。泰山想，世界上对于负重的人类或兽类，实在是没有比这更残酷的了。但是，从那些黑人的脸上，却看不出想要反抗的神色，实际上，他们长期在非人能忍受的酷刑之下，似乎已经变成了受人作践的哑巴畜生。

过了一会儿，又有一队人向王宫走来。这一队人里，约有50

个武装的猩猩和人数更多的拿着长矛、斧子的黑人武士,这几十个甚至上百个武装的人和猩猩,围着四个力气超常的挑夫。只见这四个人抬着一副担架,担架上捆着一个十分华美的箱子。那箱子看上去约有两英尺宽,四英尺长,两英尺高。箱身是用黑色的木材做成的,看得出,箱身的木材长期受过风雨的剥蚀,箱子却用金子做成的带子箍着,那金带上还镶着密密麻麻的钻石。箱子里装的是什么东西,泰山当然无法知道,想来一定是非常贵重的东西,不然,为什么要这样加意保护呢?泰山只见他们把箱子一直扛到王宫的东北角,扛上了那座宏伟的□望塔。□望塔整个被长春藤覆盖着,入口处的那扇门也非常厚重,就像刚才在东边看到的那扇门一样考究。

泰山见在底下活动的黑人和猩猩都只顾干自己的活,并没有人发现他,他立刻跳到丛林中去,回到放猩猩尸体的那棵树上。他扛起尸体,又回到靠近东门的树上,看四下里无人,就把尸体扔了下去。泰山心里暗想:"只要他们能猜出是谁杀了这猩猩,让他们去猜好了。"

扔完了猩猩的尸体以后,泰山又往东南走,不久,就走到了钻石王宫后面的一座山里。泰山一路拣着捷径走,有意避开黑人的村落,也避开林中的大猩猩们。到接近黄昏时,他走到了一座花岗岩山的前面,这里有一条老路。泰山站在这里向周围观察了一下,觉得没有危险,一路又有灌木丛作为掩护,于是他就从地上跳到树上,悄悄向那座山走去,有时穿过矮树丛,路上也遇到些成群结队的黑人和猩猩,有的空着手,有的搬运着花岗石,泰山躲在灌木丛里幸而没被他们发觉。在半路上,经过一个狭窄的山崖,约有二十英尺高,是花岗石受风雨剥蚀后,自然裂成的。这里没有可躲避的地方了,如果走上去,一定会被黑人和猩猩发觉的。泰山向四围看了看,只要拐过弯去,就可以到山崖的尽头。那里有杂乱的花岗石和瘦瘠的灌木丛,足以容泰山藏身,说不定在那里还可以把往前走的路看得更清楚。

泰山果然预料得不错,他走了不一会儿,就看见了一处山坳,上面有许多个山洞,泰山知道这些山洞都是隧道的出入口。有的洞外摆放着木梯,也有些洞口垂着打结的绳子,一直挂到地面上。从这些洞口里,常常有扛着小包泥土的人钻出来,然后把泥土堆到小溪旁。另外还有些淘洗渣滓的黑人,由大猩猩监督。但他们在淘洗什么,他们的工作要达到什么目的,泰山无法弄明白。

在小溪旁边的山上,有许多黑人在开采花岗石,那山岩经过了长期的开采,岩壁上有了一列一列的痕迹,这痕迹从地面直到山顶上。那些黑人,都在大猩猩的严厉监督下,艰苦地工作着。他们经常从山洞口里搬出什么东西来,泰山虽然看不清楚,但猜想大约是淘洗黄金的金沙。有一点泰山怎么也弄不明白,这些沙石里,或许能淘到黄金,可是钻石是从哪里来的呢?总不会也是从花岗岩山上来的吧?

泰山观察了半天,知道从林子里来的道路到这里就已经是尽头了。泰山希望能找到一条出去的路,可是找来找去,一连片都是山,根本没有出去的路,他知道从山上找路是没有希望的了。第二天,他又花了一整天的工夫,在小溪的东边和南边,继续寻找出去的路,但依然无功而返。最后,他只得心灰意冷地回林子里去了。在黑夜里,他只好往兰住的那个村子里走,希望先找到兰,然后再和兰共同寻找一条走出奥泊山谷的路。

第二天太阳升起来的时候,泰山回到了前天兰待的那个村落里。泰山头一眼看过去,就知道出了事,因为这里的情景,与他离开时已经大不一样了。只见栅栏门大大地敞开,栅栏内也不见有人活动。木屋没有一个在摇动。分明是木屋里面没有人了。泰山小心地跳到村子里,用鼻子嗅着。他的嗅觉告诉他,这个村子里已经至少有一天一夜没有人了。他跑到原来给兰准备的那间木屋前,抓住绳子,爬到屋里,里面空空如也,哪里还有兰的影子?他立刻跳回地面,希望马上找到村民和兰的踪迹。他接连看了好几间木屋,里面都是空的。偶然一抬眼,发现较远的一间木屋,在那里轻轻地摇晃,泰山猜想里面也许有人,他赶快跑过去,见这间木屋的底部已经没有下垂的绳子了。他抬头向上望着,除了屋子底部的洞之外,什么也看不见。

泰山抬头向上面喊道:"喂,黑猿,我来了,我是人猿泰山!你别害怕,快出来告诉我,你们村子里的人和我的同伴都到什么地方去了?我离开这里的时候,曾经托付这里的武士保护她的。"

上面没有人回答。泰山又重复地喊着这些话,因为他看木屋抖动着,确定木屋里一定是有人的。

后来泰山几乎要发火了,高声喊着:"快点下来,不然,我要跳上来捉你了!"

上面仍旧没有人回答,泰山从鞘里把猎刀抽出来,咬在牙齿中间,满面怒容,他像猫一样,跳了上去,一下就抓住了屋子底部的洞口,爬进了木屋。

起初泰山以为藏在屋里的人一定会抵抗,但是,出乎他意料的是,屋里什么动静也没有。他在屋里打量了一阵,猛看起来屋里好像没有人。他又站了一会儿,见屋角处有一捆干枯的草,在那里微微抖动。他跑过去,一把掀开枯草,原来枯草底下藏着一个披头散发、瑟瑟发抖的女人。泰山抓住她的肩膀,把她拖出来,叫她坐到地板上,问她:"这里发生了什么事?村里的人都到哪儿去了?我的女伴在哪里?"

那女人吓得浑身发抖地哀求道:"别杀死我!别杀死我!这里的事都不是我干的,我没有犯罪。"

泰山看对方吓成那样,只好把刀收起来说:"我没有打算杀你呀!只要你把这里出了什么事告诉我,你就没事了。"

那女人说:"大猩猩把这里的人都逮走了。就是你到这里来的那天,太阳快要下山的时候,大猩猩们暴怒着跑来了。因为它们在钻石王宫外头发现了同伴的尸体,而且它们知道死去的那只大猩猩是到我们村里来的。于是它们跑来杀气腾腾地恫吓我们,叫我们村里的人老老实实地说实话,否则就要把我们杀光,一个也不留。那些武士在它们的威胁之下,就把整个事实经过都告诉了它们。我趁它们不注意时藏起来了,又把木屋底下的绳也拉了起来,所以它们没有找到我。它们走的时候,把全村的人都抓走了,你的女伴也在里面。他们这一走,恐怕永远也不会回来了。"

泰山问:"被捉去的这些人,难道都会被大猩猩杀死吗?"

那女人说:"当然,猩猩会把他们全数杀光,为了给死去的大猩猩报仇。"

按理，泰山此时只剩下自己一个人了，再没有任何拖累，没有了对兰的牵挂，他走自己的路是很容易的。但泰山决不是这样一个人，他不会只顾自己的。忠诚和知恩图报是泰山天性里特有的东西。兰从凶恶的奥泊人手里救出了泰山，她为了救泰山，放弃了自己尊荣的地位和权力，不顾自己的安全。她为了救泰山，舍弃了一切，做了亡命之徒。泰山想到这些，他怎么能不管她呢？他一定要从大猩猩手里把她救出来不可。现在，他必须找到兰的下落，只是不知道她是否还活着，只要她还活在人间，泰山一定万死不辞地救她出险，和她一起逃出这个山谷。

泰山问清了情况之后，就又回到钻石王宫的所在。他花了一整天的时间，在王宫外观察着。他想找一个没有人看见的机会，进到王宫里面去。但他始终没有找到这样的机会，因为在这里，每一分钟都有黑人或猩猩往来。一直等到天黑之后，东边那扇门开了，那些木屋里的人和王宫里的动物，都回到他们的围墙里面去了，外边，连值班守夜的人都没留一个。从这一点可以看出来，大猩猩们恐怕从来没有受到过攻击。这一点，只要看黑人在它们的监督下被辖治得服服帖帖，就可以想见了，这附近，还有谁反抗它们呢？

泰山等到天完全黑了之后，把草绳打了一个活结，套到门柱顶端一个雕刻的石狮上，顺着绳子爬上了墙顶，只轻轻一跳，就跳进了园子里面。首先他看好了一条退路，如果找到了兰，可以很快地出来。他打开了栅栏门，便向东边的瞭望塔走去。这是他花了一天的工夫，仔细观察所得的结果，因为从这里到王宫去，是最方便也最安全的。瞭望塔上有年深日久的长春藤，足以帮助他完成他的计划，这些长春藤一直爬到瞭望塔的顶上，泰山可以攀着牢靠的长春藤上去，不必发愁会跌落下来。

泰山攀上瞭望塔之后，从一个离地面很高的地方，看到王宫的墙上，有一扇窗子是开着的。但是，这扇窗子和王宫的其他地方不同，这扇窗子外面竟没有铁栏杆！灯塔里和王宫其他房间一样，都有淡淡的灯光透出，泰山迅速而小心地攀爬、躲避。到了那扇窗上，他心里不禁一阵欣喜，因为窗子虽然开着，里面却没有灯光。屋里有些什么东西，泰山在黑暗中自然看不出来，但可以断定屋里是没有人的。他轻轻地跳进屋里，在黑暗中摸索着往前走。他发觉屋子里摆着一张床，用手摸上去，这床还雕刻得十分精细。除了床之外，还有一张桌子和两条长凳。床上铺着柔软的羊皮和豹皮，这些，泰山是用嗅觉辨别出来的。

窗子的对面有一扇门，那扇门却是紧闭着的。泰山走过去，将那门轻轻地推开了一条缝，见外面光线非常微弱，辨别了一阵，外面原来是一条走廊，在走廊地面的中间，有一个洞口，直径约有四尺，洞口里笔直地插着一根木杆，一直通到天花板上，天花板上也有一个同样的洞口。木杆上，每相隔约一尺距离，就钉着一根横的短木，原来，这就是早年间的梯子，这梯子是用来通往上下层的。在这个走廊的四周，还有其他的门，和泰山刚才推开的那扇门一样。

泰山听了听周围，什么声音也没有，于是他索性把门推开，也没看见有别的什么人，于是他放轻脚步，走进走廊。这时，他忽然又闻到了前几天闻到过的那种香气。在瞭望塔里，这股香味更浓烈了，压倒了其他一切气味，这使泰山寻找兰更增加了困难。

在这里,除了这股不知名的香气以外,他什么气味也闻不到了。

泰山做事一向是知己知彼,非常小心的,现在他知道自己是很孤单的,万一被大猩猩们碰见,一定会寡不敌众。尤其在这个地方,敌人是熟悉路径的,而他却是完全陌生的。现在他几乎是处在生死关头,何去何从,要他慎重地抉择了:如果退回去,黑夜中的丛林,他是可以逍遥自在的;而他若往前走,无法预料前面隐藏着多少危险,说不定还有失败在等着他。到底该怎么办?他站着默默地想了一会儿,最后,他抬起头,耸了耸肩,把头发向后甩了一下,鼓起勇气,大踏步向那扇门走去。他顺着走廊走过去,搜查了一间间的屋子,没见有兰的踪迹。每间屋里,他都看见奇奇怪怪的家具、地毯和墙幔,还有黄金和钻石的饰物。在其中一间卧室里,他看见了一只熟睡着的猩猩,但是泰山的脚步很轻,并没有惊醒它。甚至泰山走到它床前,仔细打量它床周围的一切时,它仍然熟睡未醒。

瞭望塔中的这一层,泰山都已经查遍了,确实没有兰。于是他就打算去搜查上面的几层。上面如果也没有,他再仔细地逐层往下查。他打定主意之后,就从走廊上那架梯子爬上去了。一口气连爬了三层,才到了瞭望塔的最高点,每层都有一圈关闭着的门,每层都点着昏暗的灯。泰山仔细观察那灯,灯盘是用黄金制造的,盘内盛着油,油中浸着用麻线拧成的灯芯。

最高的一层,只有三扇门,也是每扇门都关着。这里走廊的顶上,就是瞭望塔圆形的屋顶,中间有一个圆洞,梯子从这里可以穿出去,通往外面的夜色中。

泰山打开离自己最近的那扇门,门上的锁链子发出了一点响声,这是泰山进塔侦察以来,第一次听到的响声。他推开门望了望那间屋里,没有灯光,于是就在门口静静地站了一会儿。他忽然觉得在自己身后,有什么东西在动弹。他回头去看,看见梯顶对面的门口,闪过一个人影。

十二
埃斯特本的诡计

埃斯特本冒充着人猿泰山,自以为得计地哄骗着信赖他的、忠勇的瓦齐里武士们。可是,这样过了不到二十四个小时,他察觉到这样下去是有危险的:第一,他不能总是推托自己的脑子受了伤,老是不恢复;第二,这些黄金在瓦齐里武士手里,他们自然是会往泰山的庄园里搬的,自己岂不是徒劳无功,什么也得不到了吗?同时,他已经看出乌色拉渐渐对自己产生怀疑和不满了,因为有好多次埃斯特本怕露出马脚,总是有意地回避着乌色拉,这个聪明的黑人,已经一点点有所察觉。其实,其他的瓦齐里武士虽然没显露出什么,心里却也和乌色拉一样,他们从来没见过人猿泰山流露过哪怕一点点的怯懦,他们深知主人不是胆小鬼。在非洲这块广袤的土地上,只有少数没有经验的白人,才会表现怯懦,他们的主人决不是这种人。

由于不少次的破绽,在那天的下午,这群有智有谋的瓦齐里人,已经有点看破这个人猿泰山是个自欺欺人的冒牌货了。

这时候,他们正巧走在一个并不十分浓密的林子里,这里长着许多矮树,和远处的高树之间,还有好一段距离。突然,不知从哪里窜出来一头犀牛,向他们这一群人直奔而来。瓦齐里武士们也不免吃了一惊,他们看了看这位人猿泰山,只见他和横冲直撞的犀牛只打了一个照面,就赶忙躲到一株树后面去了。这时的埃斯特本实在是吓慌了,连奔跑都显出了东倒西歪的样子。他当然不会像泰山那样,能够灵巧地跳上树去,他只会弯着腿,抱着树身,像个小学生在体育课上爬杆一样,每次只爬上去一点点,不住地往下打滑,挣扎了半天,最后终于跌倒在地上。犀牛攻击对手,并不靠它的嗅觉和听觉,而只靠它视力很弱的目光。这时有一个瓦齐里武士,趁着犀牛左右寻找的时候,把它引向另一个地方去了。那犀牛一下子觉得失去了目标,就暴怒地向另外一个方向冲去了。

　　埃斯特本挣扎着爬起身来,看见犀牛已经去远了,危险总算过去了。在他刚刚定下神来的时候,才发现那群瓦齐里黑武士,都站在他面前,围成了一个半圆形,用一种非常奇怪的目光看着他,这目光中说不清含着的是怀疑、是怜悯还是愤慨,比较清楚的一种神情是鄙夷。埃斯特本立刻明白自己太失态了,看大家这种神态,知道局面是很难挽回了。他自己也觉得别无他法好想,只好尴尬地按着额角说:"我可怜的头啊!"

　　乌色拉此时不无讽刺地说:"主人!你说过树倒下来,打伤了的仅仅是你的头,可是,跟随你多年的瓦齐里人都知道,我们主人的心,可从来是不懂得害怕的。"

　　埃斯特本难堪了好一阵,无话好答。

　　于是他们在沉默中又继续往前走,一路上,谁都没再说话。天快黑的时候,走到了一处有瀑布的河岸边上,于是他们就在这里搭起了帐篷,准备过夜。这一个下午,埃斯特本虽然始终没有说话，可是他的脑子并没有闲着，他在打着鬼主意，他知道这群瓦齐里武士已经怀疑自己了，越往后相处，困难会越多，所以他打算找借口脱离这个群体。在扎营之后不久，他就命令瓦齐里人，先把黄金埋起来。他装腔作势地对武士们说："你们把金子暂时埋藏在这里，我改变了主意，先不忙着回庄园去。明天早晨我还是去追赶那些偷金子的贼，得给他们一点严厉的教训才成，叫他们知道厉害，以后不敢再到泰山的领地中来。他们上次给我下了麻药之后，我醒过来就应该再去找他们，把他们都杀光，不然，留着他们早晚是祸患。"

他这番话和这个态度，使瓦齐里武士们对他恢复了一点好感，他们觉得，这才有点像他们的主人了。大家都非常高兴地按照埃斯特本的吩咐去做了。第二天早晨，他们就出发往英国人的营地赶。在路上，乌色拉出了个主意，建议大家走出丛林之后，就向英国人的必经之路包抄过去，这样，到了晚上准可以赶上他们。果然，到了天将晚的时候，还距离老远，他们就闻到了烟火味儿，同时也听到了英国人率领的那些脚夫们的唱歌声和叫喊声。

这时，埃斯特本就叫武士们都停下来，他用英语对乌色拉说："我忠心的部下！那些陌生人到这里来侮辱了我，我是一定要报仇的。我看，我一个人去就够了，用不了这么多人。你们先回庄园去，至于黄金嘛，就暂时让它埋在这里，反正我也不急于用，等以后用时我们再来取。这样你们轻装回去也方便些，只要你们记认好埋藏的地方就行了。"

瓦齐里武士们听了这番话，都感到莫名其妙，而且露出了失望和不情愿的神情。按照他们的心思，是想把那些擅闯非洲，偷黄金的白人和黑人杀个精光,然后保护着主人一起回去。但是,他们在主人面前,多年来是服从惯了的,不愿在主人面前表露出反对来。当埃斯特本说完了这番话之后,黑武士们好像很不平静,只见他们用瓦齐里语互相交谈着。埃斯特本当然听不懂他们在说什么,只看出他们在围着乌色拉,七嘴八舌地表述着自己的意见。等他们都说完了,乌色拉转身对埃斯特本说:"宛那,大家都不明白,你为什么就这样打发我们回去。我们回到庄园,怎么向爵士夫人交代呢?难道我们能告诉女主人,我们大伙儿把受了伤的主人独自丢在了丛林里,去抵抗那伙盗贼,去面对他们的来复枪吗?我们决不愿意这样做,主人!我们并不认为你没有了我们,一个人去就不成,我们知道你不会害怕,也不会失败的,可现在你毕竟受了伤,和平时不一样啊!就让你的忠实的瓦齐里人,和你一块儿去,收拾掉了他们之后,我们护送你安全地回家,这难道不好吗?我们看不出我们去了,对你有什么妨碍,到时候,我们只会帮助你,而决不会妨碍你啊。"

埃斯特本听了之后,笑了笑说:"我觉得现在我的伤已经好了,我一个人在丛林里,不会比带着你们更危险。"说到这里,他板起面孔,做出一副不容反对的坚决神态说:"你们应该服从我的命令,赶快朝庄园的方向往回走。而且,你们还必须走出两英里以外,再搭帐篷过夜,明天一早,就赶回家里去,尽早地给女主人报个信,好让她放心。记住!走路和搭帐篷时,都不要弄出响动来,免得让敌人发现我在这里。别来打扰我,我的计划是不会错的!放心地走吧!谁也不要再多嘴了。"

瓦齐里武士们见主人下了坚决的命令,不便再多说什么,只好走了。没有多大工夫,他们都在来时的原路上,走得无影无踪了。

埃斯特本见那些让他为难的瓦齐里武士,真的被他的一番鬼话打发走了,他轻松地舒了一口气,便准备回到他自己的伙伴那里去。他边走着边想,怕自己突然回去,惊动了他们,惹得他们真假莫辨,开起枪来,他于是摆出一副走近自己人的轻松样子,嘘嘘地吹着口哨,慢慢地走过去。

第一个看见他的黑人,马上惊骇地喊叫起来:"哎哟不好!真的人猿泰山来了,这下完了,我们逃不了活命了!"

埃斯特本看见弗洛兰率领的脚夫和随从们都慌乱了起来,有的人已经向他举起了来复枪,手哆哆嗦嗦地就要扳动枪机了。他连忙喊叫起来:"别开枪!别开枪!是我呀!我是埃斯特本·米兰达。弗洛兰,弗洛兰,快告诉这些傻瓜,快把他们的来复枪放下!"

那几个白人听到喊声,也盯着他看。弗洛兰看了他一眼,转身对黑人说:"把枪放下吧!他不是人猿泰山,我能认出来,他是埃斯特本。"

埃斯特本走进营地,笑嘻嘻地说:"还是弗洛兰认得准,你们怎么看不出来?我是埃斯特本,是自己人哪!"

克赖斯基说:"我们都以为你死了,因为这里有些黑人说,你被真的人猿泰山给杀死了。"

埃斯特本说:"泰山确实是捉住了我,可不像他们所说的,他没把我杀死。我也以为他会杀死我的,可是不知为什么,他发了善心,没有杀我,只把我赶进了丛林里。也许他以为丛林里的野兽会弄死我，用不着他亲手杀死我。"

皮勃勒斯说："别瞎编了。你如果真被泰山扔在丛林里，即使算你幸运，没碰上野兽，就是饿也会把你饿死了，你还想活着回来吗？"

埃斯特本没有去理会皮勃勒斯的挖苦，转过身来对弗洛兰说："弗洛兰！我回来了，难道你不高兴吗？"

弗洛兰耸了耸肩说："你回不回来有什么区别？我们大家都认为这次长途跋涉的失败，责任都在你身上。"说完，她环视了一下她的同伴们，他们也都点点头。埃斯特本看了这种情况，皱了皱眉头，别人对他如此冷淡，他倒不大在意，他满心希望弗洛兰见他回来，会表示高兴些。他没法当着这么多人，向弗洛兰说出他的真正想法，他以为，弗洛兰如果知道了他的打算，不但会十分高兴，甚至会对他表示热爱呢。他很想告诉弗洛兰，他已经把金砖埋在一个谁也不知道的地方了，他多么想建议弗洛兰，设法把这些人摆脱掉，然后把金子挖出来，他和弗洛兰两人均分。尤其现在，大家把他嘲笑、奚落了个够，他更不想分给他们了。连弗洛兰对自己都如此冷漠，他打算连她也不告诉了，只等他们离开非洲之后，自己去挖取，独吞那一大批金子，岂不更好？他唯独担心的是，瓦齐里武士们知道埋金砖的地方，他们若是领泰山去挖掘出来，自己可就竹篮打水一场空了。想到这一点，他觉得必须设法补救。可是，要想补救的话，必须有人帮助不可，一找帮手，就必须分给别人。他在暗暗思忖着，到底找什么人帮好呢？

同伴们对他的冷淡，他装出满不在乎的样子，厚起脸皮来挤到他们中间去。他当然不知道克赖斯基和奥瓦扎已经商定了的要抢劫象牙的事。大家所以不欢迎他,是因为如果有他加入,必然多一个人分赃。最后,还是克赖斯基忍不住了,把大家暗暗商量好了的事,一股脑儿都讲了出来。他说:"埃斯特本!老实告诉你吧!这次我们长途跋涉、辛辛苦苦的,所以会失败,都是你和布鲁伯尔该负全责。我们不是要报复你们俩,可你们俩应该承认,这是个不容争议的事实,应该当面锣对面鼓地对你们说清楚。你走了之后,我们商量了个新的行动计划,要在当地补偿我们丢失黄金的损失,我们都商量好了,不需要你加进来合作。你如果非要跟着我们,我们也不反对,不过我们得到的东西,不能分给你,我们先把丑话说在前头,不管你同意不同意。"

埃斯特本笑了笑,满不在乎地说:"你这话说得也有道理,我不沾你们的光,我什么也不跟你们要就是了。"他满心高兴地笑着,想着那埋起来的一大堆黄金,总有一天会被他搬出非洲,完完全全属于他,他将会成为多么富有的富翁啊!

听了埃斯特本的话,大家才放下心来,看到他竟如此大方,如此毫不介意,大家似乎感到有点意外,方才的紧张空气,一下子缓和了许多。

皮勃勒斯说:"埃斯特本!你真够朋友。我素来就说,埃斯特本是个干大事的人,刚才看见你平平安安地回来,我真是高兴呢!你听到我们的新计划之后,居然一点怨言都没有,更让我感到你确实够朋友,是个君子。"

布鲁伯尔却不怀好意地说:"皮勃勒斯说担心你的安全,这倒是真的,这一点我可以作证,自从你走了之后,他做梦都会笑醒过来,是不是这样?皮勃勒斯?"

皮勃勒斯眼睛盯着布鲁伯尔说:"你怎么能开这种玩笑？嗯？布鲁伯尔！"

布鲁伯尔见皮勃勒斯真的生气了，赶快笑着解释说:"我只是开个玩笑罢了,我对天发誓,真的毫无恶意。埃斯特本不在的时候,我们大家都非常担心,唯恐埃斯特本出什么事,现在看见他回来了,自然是喜出望外的,正因为如此,我才有心情开玩笑啊！你们大家说,不是这样吗？"

瑟洛克怕埃斯特本反悔,想把他刚才的话更凿实一下,说:"埃斯特本向来是说话算话的，他当然不要我们分给他什么了,是吧？"

埃斯特本大大咧咧地说:"你们放心好了,我当然说话算话。其实,现在我只要能活着回伦敦去就心满意足了,这一趟,我可算尝够了非洲的滋味,这辈子我都忘不了的。"

这一夜,埃斯特本可没能安安稳稳地睡觉,他清醒地盘算了大约有两个小时。他在想,怎么样才能使那些黄金安全地属于自己,不至于让瓦齐里人先下手掘走,他知道,只要能顺着乌色拉那天领他的路走,就能很容易地找到埋金子的地方,而且为了保险起见,他还打算把黄金重新埋到附近的地方去。他觉得,这些事他都能一个人去做,以保证没有别人能知道他埋黄金的新地方。但这时他又想到,他还有另一个困难,那就是他敢肯定,以后他无法再从海岸回来重新找到埋金子的地方。既然这样,他就必须还有一个合作者,来分享他的秘密和财富,虽然这是他不情愿的,可是他想来想去,又别无他法。而且这个人还必须是非常熟悉这个地区的人,以便他以后无论是什么时候,无论从哪一个方向,都能找到他埋金子的地方。

他想来想去,在这一群人里头,他最能信任的是谁呢?在他心目中,只选定了一个人,那就是奥瓦扎。其实,他对奥瓦扎也不是能推心置腹地信任,但是除了奥瓦扎之外,他再也找不到更合适的人了。他想,反正黄金现在在自己手里,先答应给他重利,不怕他不肯帮忙,至于以后的事嘛,那又何妨走一步说一步呢?到时候再打主意也不迟。想到这里,他的心安下来了,想到那一大堆黄金,以后可以使他变成一个富翁,足够他在世界上繁华的都市里混呢。嘿,以后的日子要多美有多美。他终于美滋滋地入梦了。

第二天早晨,大家正在吃早餐的时候,埃斯特本忽然提出来,他要带四五个人去打羚羊,到傍晚的时候再回来。那几个人没有一个反对的,其实他们都巴不得埃斯特本走开呢,希望他走得越远越好,最好永远都别回来,甚至死在危险的丛林中才好呢!

埃斯特本见大家都同意了,又说:"我打算带奥瓦扎一块儿去,因为他是一个打猎的能手,由他再挑选五六个人就够了。"可是他没想到,当他问到奥瓦扎的时候,奥瓦扎却不愿意跟他去打猎。

奥瓦扎说:"我们的肉食还足够吃两天的呢,我们不如赶快往前走,越快越好,最好远远躲开泰山和他的瓦齐里武士们。从这里到达海岸之间,我们还可以打到许多猎物,等过两天,我们再去打羚羊也不迟啊!"

埃斯特本把奥瓦扎拉到一边,低声对他说:"你好好地听我说,这趟出去,好处可比打羚羊要大得多,我到底要带你去干什么,在这里不便告诉你,等咱们到了外头,我再详细地告诉你。你今天跟我一起去,我可以给你比象牙更大的好处。"奥瓦扎被他弄得莫名其妙,搔着他羊毛一样的头发,说:"那好吧,今天天气好,倒是打猎的好日子,我就跟你一起去吧!你等一等,我再去挑选五个人,咱们一块儿走。"

奥瓦扎等弗洛兰率领的人都出发之后,又布置好了当晚宿营的准备工作,便跟着埃斯特本,向乌色拉埋黄金的地方走去。他们走了一段路之后,奥瓦扎已经发现了瓦齐里人留下的新鲜脚印,他疑惑地看着埃斯特本说:"我看出来了,昨天怎么有许多人经过这里?"

埃斯特本掩饰地说:"我看不出他们走的就是我们现在走的这条路。"

奥瓦扎说:"我看得出这脚印,这些人分明是先走近我们的营地,然后才又折回来的。主人,你听我说,现在我手里拿着枪,请你走在我的前面!这些脚印如果是你安排的什么人留下的,你故意引诱我到他们的埋伏圈里去,那可对不起了,只有请你先吃我的枪子儿!"

埃斯特本觉得现在可以把实情告诉他了,就对奥瓦扎说:"你安静些,奥瓦扎,慢慢听我告诉你。现在咱们离营地已经很远了,我不妨跟你说实话了。这些脚印,是真的人猿泰山庄园上的瓦齐里人留下的。他们在离这里只有一天路程的地方,替我埋下了黄金,我已经吩咐瓦齐里人回庄园去了。今天,我希望你帮我把黄金挪一个地方,再埋起来。等到弗洛兰带领的人抢到象牙,回到伦敦之后,你和我再到这里来,把黄金挖出来,这样,我将付给你很丰厚的酬金，决不食言。现在你都明白了吗？你没有必要拿枪对着我，你对我，没有什么可提防的。"

奥瓦扎说："等等，这里有一个问题，我必须先弄清楚。你到底是谁呢？我早就疑心你不是真人猿泰山。在我们离开奥泊城外的那一天，我的一个部下告诉我说，人猿泰山被我们的人在营地里用过量的麻醉药弄死了，他还说，他亲眼看见泰山身体僵硬地躺在灌木丛里。但是后来，又有一个泰山跟我们一起走路，我那个同伴看见你的时候，总是大惊失色。我心里老是疑惑，怎么我总模模糊糊地觉得，这里似乎有两个人猿泰山？"

埃斯特本说："我不是人猿泰山，我是演员埃斯特本。真的人猿泰山，确实到过我们的营地，被弗洛兰他们用麻药麻醉了，但是他们给他吃的量并不大，并没打算把他弄死，免得给以后惹出人命关天的麻烦来，只希望他睡的时间长一些，也许在他醒来之前，会被野兽吃了。现在，他是否还活着，咱们说不准，也无从知道。现在你和我，只须把要干的事快点干完，最好能不遇见人猿泰山和他的瓦齐里武士。说老实话，想要避开他们，这一点，我比你还着急呢！"

奥瓦扎听完，想了想，点点头说："我觉着，你说的可能是真话。"但他仍旧跟在埃斯特本身后，手里紧握着来复枪。

他们战战兢兢地走着，生怕赶上了前边走着的瓦齐里人。他们又往前走了没有多远，发现瓦齐里人改走别的岔道了，埃斯特本这才放下心来，知道再也不会遇到那一群让他又害怕又为难的人了。

当他们走到离埋黄金的地方还差一里路光景，埃斯特本告诉奥瓦扎,命令他的部下在这里停下来,只让他们两个去挪黄金。埃斯特本对奥瓦扎低声说:"这事,知道的人越少,我们越安全,免得节外生枝,我们不得不防呢!刚才我说多带五六个人来,是怕营地的人疑心。"

奥瓦扎说:"主人,你真聪明,想得真周到。"

埃斯特本很容易地在离瀑布不远处,找到了埋黄金的地方。他又问明了奥瓦扎,得到奥瓦扎的肯定答复,说他对这一带非常熟悉,从海岸再回来,一定能找到这个地方。他们合力将黄金挖出来,就近又另埋在一个地方,他们暗中记了一个记号,就在小河附近的灌木丛后面。他们认为把金子埋在这里和放在若干里之外是一样的安全。因为瓦齐里武士们不会想到,居然有人这样大费周折,把黄金又另埋在百米之外的地方。瓦齐里之外的别人,更不会想到在这荒野的地方有黄金埋藏着。

当他们一切都处置妥当了之后,奥瓦扎看了看太阳说:"我们已经耽搁了太多的时间,现在必须快点走,才能赶回营地了。"

埃斯特本说:"我并不希望赶上他们,其实我心里的真实想法,真是不能对他们说,如果永远再也见不到他们,我才称心如意呢。"

埃斯特本却想不到,奥瓦扎得意地笑着,在他狡猾的心里,正打着另外一个主意呢。他想:"我为什么要拼着性命,从阿拉伯人手里去抢象牙呢?只要有机会把这些黄金搬到海岸去,这笔财富为什么不该是我的呢?"

十三
平顶塔

　　泰山听到有声音,转身一看,见一个人正站在他后面,在一个平顶塔的平台上。那座塔在钻石宫的东面,塔身也被长春藤覆盖着。

　　泰山发现有了敌情,马上把他的猎刀从刀鞘中抽出来。可是就在这一刹那,泰山拿刀的手又垂下来了,因为他睁大了眼睛看着对方,脸上露出怀疑的样子,看那人的表情,也和自己一样,脸上满是惊疑的神色。泰山分辨出对方,既不是猩猩,也不是黑人,仿佛是个白种人,只是已经非常老了,白发如银,身上也像白天见的猩猩一样,戴着黄金和钻石的装饰品。

　　那个老人喊了一声:"噢!我的上帝!"

　　泰山瞪着眼睛看着老人,这个简单的英文单词,引起了泰山极度的惊讶,在这种地方,居然会有英国人!他的脑子里涌出了很多猜想,使得他心绪都紊乱了。

　　那老人又问:"你是人还是兽?你是谁?"这次问话用的是大猿的语言,大概是怕泰山听不懂英语。

　　泰山问他:"你刚才说了一句英语,你能说英国话吗?"泰山用的仍是英语。

那老人高兴地叫道:"啊!我亲爱的上帝啊!我今生今世居然又听到了这种美妙的语言!"这次他说的又是英语,但是非常生硬,好像许久没说,已经生疏了一样。

泰山问:"你是谁?你在这里是干什么的?"

老人说:"这正是我要问你的话,你不要因为怕我,就不敢回答。我听得出来,你分明是个英国人,你见了我无须害怕的。"

泰山说:"我到这里来,是为了找一个女人,她是被猩猩捉来的。"

老人说:"噢!这个我知道,她在这里。"

泰山急不可待地问:"她平安吗?"老人说:"她没有受到伤害,这一两天估计是安全的。但是,你还没有回答我,你到底是谁?你是怎么从外边的世界到这里来的?"

泰山说:"我是人猿泰山。我到这个山谷来,是为了找一条能逃出奥泊山谷的路。因为我的同伴在那里有危险,我们必须逃出去。现在该说说你了,你是怎么回事?"

老人说:"我现在已经是个离死不远的人了,当初我到这里来的时候,还是一个孩子呢,当时斯坦利湖(即今刚果马莱博湖)已经设站了,你听说过斯坦利吗?他是英国十九世纪有名的非洲探险家,我就是乘着他的船,和他一起来到非洲内地的。有一次,我独自出来打猎,迷失了道路,后来被残酷的非洲土著人捉了去,他们把我带到他们的村落,于是深入了蛮荒的内地。一天,我趁他们不注意逃了出来,但是我辨不清方向,找不到去海岸的道路。这样,我流浪了好几个月,最后遇到了最倒霉的一天,我无意中走进了这个山谷。我至今不明白,他们为什么不杀死我,可能

人猿泰山·真假泰山　153

因为发现了我的智慧,对他们还有点用外吧？从那之后,我就帮着他们开矿、磨钻石。替他们制造锋利的钻头和开凿钻石的锥尖。现在,我几乎已经被他们同化了,但是,我总不死心,总希望有一天能逃出这个山谷。不过我老实对你说,这只是个没有希望的空想罢了。"

泰山问:"难道这里没有出路吗？"

老人说:"路倒是有一条,但是长期有武士把守着,绝对闯不过去的。"

泰山马上追问:"你说的那条路在哪里？"

老人说:"其实,那不是一条路,是一条开矿的隧道,从那儿通出去,一直可以通到山谷的外面。这里的矿,已经开采了很长时间了,究竟什么时候开始挖的,我也不知道,也许在他们老祖宗的时代吧。那些山的上面,密密麻麻地布满了坑洞,密得像蜂窝一样。在堆金沙的石英石后面,那里有不少橄榄石,就在这种橄榄石里面,含有钻石。这条隧道就是采钻石用的,隧道和山谷外面相通,大概是为了通风的方便。这个洞和这条路,就是从奥泊出去的唯一出路。我不知道他们从什么时候起,对这条路严加防守,也许是为了防范敌人进攻,也许是防止奴隶逃亡,我猜他们更重视的是后者,因为他们认为这里是不大会有敌人来进攻的。至于到奥泊城去的那条路,是从来不加防守的,因为他们不怕奥泊人,这里的黑人奴隶,也不敢逃到太阳教徒的山谷里去,这里的奴隶是逃不了的,所以,我们也只有在这里当一辈子奴隶了。"

泰山问:"他们是怎么防守这条隧道的？"

老人说:"有两只猩猩和十多个黑武士在那里站岗呢!"

泰山问:"黑人有想逃走的吗?"

老人说:"听说,奴隶中曾经有人试过,但自从我到了这里之后,再没有发生过逃走的事。我听说,对于试图逃走的人,被逮回来是要严刑处死的,甚至连家族都要受到株连,凡是逃犯家族之内的人,都要充当更苦的苦役。"

泰山问:"你可知道黑人奴隶总数有多少?"

老人说:"大约有五千人。"

泰山又问:"那么,猩猩有多少呢?"

老人说:"猩猩大概不到一千。"

泰山不解地自言自语说:"五与一之比,我不明白他们为什么不奋起反抗,以求自身的解放!"

老人说:"你不知道这里的事,在这里,猩猩是最聪明最优秀的种族,那些黑人却退化得比丛林中的野兽略微好一点罢了。"

泰山非常惊奇地说:"不管怎么说,他们到底是人类啊!"

老人说:"你哪里会知道,这里的奴隶与猩猩相比,只是在外形上有人兽的区别罢了,他们并不能像其他地方的人类一样,懂得团结起来,他们根本没有进化到懂得组织团体的地步。表面看,他们虽然知道使几个家庭合住在一个村子里,也有共同防御敌人的武器,但这些还是猩猩教给他们的,目的是为了让他们不至被狮子或豹子吃光罢了。我曾经听他们说,在从前,每个黑人到了年纪大了的时候,不能做工也不能打猎了,就盖一间茅屋,把他和其他的人隔离开,让他过孤独的生活。后来猩猩又教给黑人们搭造有木栅栏的村庄,迫使他们男人和女人住在一起,生育孩子。等他们的孩子长大了,也必须住在同一村子里。发展到现在,已经有很多个村落了,有的村落里,甚至有了四五十个居民。但是,他们的死亡率也很高,不像正常人类的人口繁殖。猩猩对他们常常使用残酷的手段,由于猩猩的摧残,不知断送了他们多少人的生命。"

泰山说:"我实在没法懂,说到天上去,也还是五个比一个,他们居然还照旧做奴隶,他们究竟是怎样一种怯懦的东西啊!"

老人说:"你说他们怯懦,我看也不尽然,他们碰见野生狮子的时候,打起来却非常勇敢,但是他们却怕猩猩,这似乎一辈传一辈,成了一种积习,猩猩在他们心目中,仿佛有一种征服不了的威严,就好像我们敬畏上帝一样。"

泰山说:"这倒是个很有趣的现象。咱们不提这个了,现在请你告诉我,我要找的那个女子,被关在什么地方了?"

老人问:"她是你的伴侣吗?"

泰山说:"不是。但我对那边村子里的黑人说她是我的伴侣,这样,他们才肯保护她。她的名字叫兰,是奥泊城的王后,太阳宫里的女主教。"

那老人觉得不可信,吃惊地叫起来:"怎么会有这样的事!奥泊王宫中的王后,怎么会放弃她的尊荣,轻率地到她世世代代敌人的巢穴中来?"

泰山说:"她也是迫不得已才逃出来的。她的生命,受到她国内一部分人的威胁,因为她不愿意把我作为牺牲品献给太阳神。"

老人叹息着说:"这真不幸!如果猩猩们知道了这件事,它们

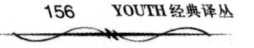

不知会多么高兴呢！"

泰山说："请你先告诉我，她现在在什么地方？她把我从属于她管的奥泊城人民的手里救了出来，我当然也要救她，不管猩猩有多么厉害，也不管猩猩会怎么对付我。"

老人说："你想做的事是没有希望的，尽管我可以告诉你她在哪里。但是，你根本没办法把她救出来。"

泰山说："不管有多艰难，我总要试一下。"

老人说："你非要这么做，等于去送死！你可别怪我事先没有警告你。"

泰山说："如果事实真像你刚才告诉我的一样，这里根本没有路可以出山谷，那么，我活着还不是跟死了一样？甚至，也许还不如死！但我不相信这件事就真的绝望了。"

老人摇摇头说："那是因为你不知道猩猩的厉害。"

泰山说："咱俩在这儿争论这个问题也没有用，不如你先告诉我那女人被关在哪里吧。"

老人拉着泰山到了他的屋里，走到一扇向西的窗口，指着一座奇异的平顶塔说："你往那里瞧！看见那座平顶塔了吗？那塔位于王宫西头的屋子背后。我估计她就在那座平顶塔里的什么地方。看起来似乎她近在咫尺，可是对你来说，她像远在天涯海角呢！不信你就试试看。"

泰山在这扇窗前站了很久，他那锐利的目光，把他眼前的一切，观察了个无微不至。他看那座奇特的平顶塔，似乎可以从皇宫那里通过去。他也看到有些老树的枝叶就覆盖在那里的屋顶上。而王宫里有几扇窗子，里面有微弱的灯光，除此之外，却看不

人猿泰山·真假泰山　157

到有什么人在活动。他转身对老人说：

"我不认识你，但是，我信赖你。因为我们都属于白种人，在这个山谷里，我相信只有我们两个是属于同一民族的。就单凭这一点，如果你出卖了我会得到什么好处的话，我相信你一定不会这样做。"

老人说："你不用害怕，我也是非常仇恨他们的。如果我能帮助你做点什么，我一定肯出力。但是我再一次跟你说，这件事是无望的，即使你有多周密的计划，我看也不会成功。那个女人，你无论如何是救不出来的，她这一辈子也离不开这个山谷了，除非那些猩猩肯放她出去。"

泰山笑了笑说："我看你是在这里待得太久了，心理上也受了那些黑人的感染。如果你想逃出去，不妨跟我来。即使咱们失败了，那也比服服帖帖当一辈子奴隶强啊！你说不是吗？"

老人仍旧摇了摇头说："不成！我知道这是没有希望的，如果能逃得出去，我早就不在这里了。"

泰山对老人凝视了一阵，说："既然如此，我们只好说再会了。"泰山说完，就跳出窗口，攀着那古老的长春藤，跳到了下面的屋顶上。

老人目送了他一会儿，见他从屋顶上向那平顶塔走去了，老人回转身来，匆匆爬下了那架简陋的梯子，站在□望塔的中央。

泰山在高低不平的屋顶上走着，有时爬到高处去，有时又跳下来，朝着那座囚禁兰的平顶塔走去。他走得很慢，因为他必须小心翼翼地前进，而且注意让自己躲在黑暗处，既要观察周围的一切，又要不被人发现。

最后，泰山走到了平台上，看到在屋顶上开有许多洞口，每个洞口上还遮着帷幕。他揭开中间一个大洞口的帷幕，往里一看，只见里面是一间大屋子，没有什么陈设，屋子的中间，有一架梯子，从洞口直通下去。看了看，屋里没有人，泰山就顺着梯子下去了，直到踏着地面，再仔细一看，原来这梯子很长，能通到许多层楼。到底有多长，他没法预测，好像能一直通到王宫的地下室。这时，他听到了一点声音，同时也闻到了一种气味，但是，马上有一股浓香味混杂过来，他什么也闻不清楚了。

泰山知道，他的嗅觉在这里起不了作用了，如果他能像平常一样，嗅觉不受干扰，他一定能闻出附近有黑人的气味了。其实这时正有一个黑人躺在墙脚下，用帷幕遮着自己，把泰山的一举一动，看了个清清楚楚。那黑人的眼睛，起初睁得很大，恐怖地望着泰山，因为自他有生以来，从来没见过像泰山这样的人，假如他有迷信的心理，他一定会把人猿泰山看作是自天而降的真神。实际上，这黑人并没有什么智慧，他只认为看见了一个怪物，在他心目中，凡是他从未见过的怪物，都是他的仇敌。他认为他现在应该做的事，是赶快把他所看见的，去报告王宫中的主人。但他没敢马上动弹，他要等这怪物走远了，他怕怪物会伤害自己。他根据平时跟猩猩打交道的经验，知道和它们碰面的机会越少，吃苦头的机会也越少。泰山这时向梯子洞底下望了好久，黑人也静静地把泰山看了很久。最后，泰山下了梯子，走出了黑人视线之外，那黑人才站起来，横穿过王宫的屋顶，向西面高耸的瞭望塔奔去了。

泰山顺着梯子走到下面，那奇异的香味越来越浓郁了，本来他可以用灵敏的嗅觉,判断周围的一切,可现在不行,他只能靠听觉了。有许多次,他走进中间的走廊去侦察,碰到锁着的房门,便贴在门边去静听一下。这中间,他几次冒险试着叫了兰的名字,但始终没听到回答的声音。他把四楼侦察完了,就上了第五层。他忽然看见有一扇门里头,站着一个吓得发抖的黑人。那人十分高大,幸而手里没拿着武器。泰山从梯子上一下跳到了黑人的面前,那黑人简直被吓呆了,只顾两眼直直地看着泰山。

那黑人先问泰山:"你要干什么?是不是来找那个白女人的?就是被猩猩从邻村逮来的那一个?听邻村的黑人说,她是你的伴侣。"

泰山说:"是的。你知道她现在怎么样了?她被囚禁在哪里?"

那黑人说:"我知道她被关在哪里,如果你肯跟我来,我可以指给你道路。"

泰山有点疑心,就问那黑人:"你为什么肯帮我?你为什么不报告你的主人来捉我呢?"

那黑人老老实实地说:"这个嘛,我也说不上来是为什么,这是猩猩教我的,我非常怕它们,只能按它们的吩咐做。"

泰山问:"它们叫你领我到哪里去?"

那黑人说:"它们要我领你到一间卧室里去,只要你一进去,那间屋子的门马上就会关上,你就成了个俘虏。"

泰山问:"那么,你自己会怎么样呢?"

那黑人说:"我也只能陪你做俘虏,猩猩是不会可怜我的,即使你会杀死我,它们也不会管的。"

泰山说:"假如你领我走进他们设好的圈套,那么,对不起,我当然要杀死你;如果你不这样做,而且领我到囚禁那个女人的地方去,我可以带你一起逃走。你愿意逃离这个地方吗?"

那黑人说:"那还用问吗?我当然想逃走,可惜办不到呀!"

泰山说:"你没有试过吗?"

黑人说:"没试过。我何必冒险去尝试办不到的事呢?捉回来准是个死!"

泰山说:"如果你肯领我到囚禁那女人的地方去,我觉得总会有机会活着逃出去的,你愿不愿意呢?"

那黑人低着头犹豫了一会儿,然后抬起头来说:"我相信你的智慧和勇敢,我领你到囚禁那女人的地方去吧!"

泰山说:"好,要去咱们就快走,我跟着你。"

那黑人领着泰山又往下走了一层,推开了一扇门,走进一条又长又直的走廊。泰山紧跟在他后面,心里却在暗暗猜想,猩猩们怎么会知道自己到了这里,正因为猩猩知道了,才会派这个黑人暗中盯着自己,他推测多半是那个白种老人把这个消息泄露出去的。泰山想,除了那个白种老人之外,再没有别人在这座王宫里看到过自己。黑人领他一直在这条漆黑的走廊里走着,只有从走廊的外面,照进一些微弱的光亮来,泰山回头看了看,在他们后面的走廊里,正有一扇门开着,光线就是从那儿照进来的。黑人走到一扇紧闭着的门前,突然站住了,指着那扇门说:"那女人就在这里。"

泰山问:"只有她一个人在里面吗?"

黑人说:"这个,不……还是你自己看吧!"说着,他推开门,又掀开了门帘,屋里的情景,立刻都呈现在泰山的面前了。

那黑人转身要跑,泰山手疾眼快地抓住了他的胳膊,不让他逃走,并向前迈了一步,向室内看着。原来这里面是一间宽大的屋子,屋子一端有个乌黑的高台,是用木材做的,雕刻着非常精细的花纹。台子上面蹲着一头有黑色鬃毛的狮子,就是泰山在园子里看到过的那个所谓狮子皇帝。狮子的颈项上戴着黄金的链子,链子拴在台子中间的一个圆环上,有四个黑人分别站在它两边。狮子的身后,设有黄金的座位,有三只装饰华美的猩猩坐在那里。兰这时就站在通往楼下的梯子跟前,有两个黑人押着她。在两旁还有五十只大猩猩,泰山一眼看见,在瞭望塔上的那个老人也在这一群里。这时候他确信自己的猜想不错了,老人出卖了他!

屋里很亮,点着几百盏油灯,正是这种油灯的燃烧,在发出光亮的同时,也发出一股浓香来。这香气正是泰山来到猩猩的领土之内,早就闻到过的那股味儿。屋内像礼拜堂一样,有一排长形的窗子开着,微风从窗子外吹进来,通过窗口能望到外面,外面是直通林子的路。泰山的思路急剧地转动着,他在思考怎样才能救兰出去,他在想:究竟是用武力好,还是用智力好?他转身问那个被自己拉住的黑人:"在狮子旁边守卫着的几个黑人,他们愿意逃走吗?"

那黑人用极低的声音说:"如果办得到,他们当然愿意。"

泰山命令那个黑人说:"现在我就走进房里去,请你马上告诉他们,谁要是肯帮助我,我就带谁逃离这里。"

那黑人说:"我即使这么告诉他们,他们也不会相信的。"

泰山说:"别管他们信不信,你就照我说的告诉他们,他们若不肯帮助我,那就是自投死路了。"

黑人说:"好吧!我就这样告诉他们。"

泰山这时再注意看屋里,只见坐在中央黄金座位上的一只猩猩正在说话,它用深沉而缓慢的声调说:"狮子中的魁首,百兽之王,天生万物的主宰,我们的狮子皇帝要执行它的意旨了,他命令这个女人死!因为我们的狮子皇帝饿了,它要在三个御前法官的面前把她吞掉!"

当这位猩猩法官说完这句话的时候,屋子里一片欢呼声从兽群的喉咙里发出来。那狮子也张牙舞爪,咆哮起来。它的咆哮声很响,几乎震动了整个王宫,狮子黄绿色的眼睛,凶狠地看着兰,似乎它是惯于享受这种盛典的。

坐在黄金座上的猩猩又说:"到了后天,这个女人的伴侣,也就是自己送上门来的这个白人,也要从王室的瞭望塔上,押到狮子皇帝面前受审。"

说完,它站了起来;对抓住兰的卫兵叫道:"奴隶们!把那女人拉到狮子皇帝跟前来!"

狮子这时简直像发了疯一样,摇着尾巴,晃动着金链,狂吼着,咆哮着,举起前爪,向兰扑过去。兰正被拉着,虽然在挣扎着,但还是被拉上了阶梯,渐渐被推近那戴着珠宝的、等得不耐烦的吃人者。

兰并没叫喊,只是拼命地挣扎着,但她怎能挣脱几个黑人的强有力的手呢?

抓着兰的黑人们,在木台的最后一级停了步,预备把兰推到狮子的嘴边,但是,他们的动作,被突然飞来的一声高叫吓得顿住了。这一声叫,使得黑人们都呆住了,座位上的猩猩也站了起来,看见冲过来的泰山,不觉都吃了一惊。只见这个白人握着长矛,跳了进来,他们虽然听别人说起过,有这么一个极厉害的白人,似乎叫什么"人猿泰山"的,可从来没有见过,也不知眼前这个是不是他。还没容他们看清跳进来的这个人什么样,也没容两旁的猩猩有什么动作,泰山手里的长矛,已经飞了出去。

十四
一场鏖战

一头硕大的长着黑色鬃毛,全身却是金黄色长毛的狮子,带着一种十分威严的样子,在夜色的中,穿过密密的树林。它似乎不是在寻猎食物,因为它并不左顾右盼,只是朝准一个方向,不出声音地走着。它走得很快,偶尔停下脚步,向前面的空气中嗅一嗅,侧着耳朵听一阵。最后,它走到了一座高墙的前面,沿着墙根仔细嗅了一遍,然后又往前走去,找到了一扇半开着的栅栏门,拱开栅栏门,进了高墙之内。

在它的前面,有一座高大的屋子,它停住了脚步,仔细地听着,突然有一声狮子的咆哮声,从它前面的大屋子里发出来,这一声可真够响的,简直像天崩地裂一样。

金毛狮子昂着头,朝发出狮吼的屋子走去。

这时,屋子里兰正被他们推到黑狮子的爪牙下,人猿泰山已经跳到屋内,一声怪叫,吓得那些黑人停止了动作。泰山唯恐狮子伤及兰,赶忙把长矛飞掷过去,这一矛非常之准,一下就刺进了黑狮子的胸膛,那些猩猩们也来不及救援,只好怒冲冲地看着。

站在泰山旁边的,就是那个被胁迫着跟着他的黑人,当泰山向兰冲过去的时候,看见黑狮已被泰山杀死,他也增加了勇气,于是高声对他的同伴们喊道:"如果你们能帮这个白人的忙,他可以让我们从猩猩的压迫下永远恢复自由!"

喊完之后,他又对狮子旁边的黑人说:"你们已经亲眼看见了,狮子皇帝被杀了,下一步,猩猩也会把你们处死,你们与其等死,不如奋起找一条活路。假如能够帮助这个勇猛的白人,帮他救出他的同伴,你们就有机会求得生存和自由。"

他又转身对押着兰的两个黑人说:"还有你们俩,不要再犹豫了,把那白女人还给这个白人,你们俩唯一生还的希望就是加入我们的集团!"

泰山这时已冲到兰的身边,把她一把挟起来,就上了高台,他想借着这个地势,好做居高临下的防御战,因为那五十只猩猩已经向他冲过来了。泰山向黑人高声喊着:"杀死坐在上面的那三只!"黑人们没有动,显然他们已经惊慌失措了,目前的局势,使他们不知归顺哪一边好,泰山此时又进一步命令他们:"杀死他们!倘若你们想得到自由,杀死他们!倘若你们想活命!"

泰山那雷霆万钧的声音和威震一切的仪态,使黑人们从犹豫状态中清醒过来,他们开始倒戈了,一齐蜂拥上来,把高台上的三只代表罪恶统治权威的猩猩杀死了。很多支矛尖一齐刺进了猩猩毛茸茸的心窝,这个动作,表明黑人们已经站到人猿泰山一边来了;也说明从今以后,在这块领土里,猩猩们再没有复辟的希望了。

泰山搂着兰的腰,纵身跳到了高台上,从死狮子身上抽回了长矛,又转身迎着冲上来的猩猩们。泰山一只脚踏在死狮子的身上,照例发出了一声胜利的长啸。冲在前面的猩猩,不觉被吓呆了,就连那些黑人也被他们从未听过的这声长啸,吓得战栗起来。

泰山高举起抓着长矛的手,对猩猩们吼叫道:"你们听着!我是人猿泰山!我不是要和你们打仗,我只是想通过你们的地界,找一条回去的路,只要你们让我和这个女人平安地过去,我并不想强占你们的国土。不过,这些黑人,我是要带走的。你们听明白了吗?"

猩猩们中间,起了一阵狂怒的咆哮,它们正要往前冲,那个在瞭望塔上的老人,忽然站了出来,疾步走到泰山面前。泰山对他喝道:"嗨!你这个背叛我的老贼,你是想尝尝泰山的厉害吗?"

那老人惊奇地用英语说:"你为什么骂我是背叛你的老贼?"

泰山说:"难道不是吗?是你出卖了我,报告给猩猩,说我在宫里,不然,他们为什么会指使黑人,引诱我上他们的圈套?"

老人说:"你完全猜错了,我没有这样做。我到这里来,是为了接近这个白种女人,以便保护她。然后看情况,看我能不能帮你点什么忙。现在我就站在你旁边,誓死和你战斗在一起。我心里的诚意,上天可作见证。"

泰山说:"那么,就来吧!用战斗来证明你的诚意,即使战死了,也比当一辈子奴隶强!"

现在已经有六个黑人,分站在泰山和兰的两旁了,三个一排。第七个黑人,就是被泰山胁迫进屋的那个,本来是空手的,现在他手里也有了武器,就是从高台上那三只猩猩身上取下来的。

猩猩们面对着这新形成的阵线,一时都停住了,都站在高台阶梯的最下一层。但它们只停了一小会儿,因为它们很快就看清楚了,站在它们对立面的人只有九个,这九个人却要抵抗五十只猩猩。它们立刻拥上阶梯,泰山和他的黑人们,看猩猩们冲上来了,就用他们的战斧、长矛和木棍迎战。但毕竟由于力量悬殊,猩猩仗着数量众多,像潮水一般一阵一阵涌来,差不多把他们包围起来了。就在这极为危急的时刻,忽然从外面传来了一阵可怕的叫声,战士们都听到了,这叫声好像就近在他们身边,混战立刻停顿了下来。

他们顺着声音望去,看见一头项上长着黑色鬃毛,全身长着金色长毛的狮子,已经走进屋来。这头狮子比死去的黑狮子还大,显得壮美得多。它走进屋后静静地站了一会儿,像一座黄金的塑像,站在那里一动不动。

人猿泰山站在高台上,回头看见了这头金毛狮子,心里别提有多高兴了,他意气风发地指着那些正在咆哮的猩猩喊道:"扎得巴尔查!杀!杀!"

这话金毛狮子当然听得懂,其实,它走进来一看这阵势,早就想向那群猩猩扑去了。泰山就趁这个机会,心里盘算着怎样救兰、老人和黑人。他对黑人们说:"赶快呀,用全力向猩猩进攻,这头狮子才是真正的狮子皇帝,万兽之王!它会扑杀仇人,它会保护人猿泰山和黑人,它是咱们的朋友啊!"

那些平日残忍成性的猩猩,在金毛狮子的进攻面前倒退着,黑人们则勇气倍增,掷出短棍,挥起战斧,直向猩猩们扑去。泰山掷出他的长矛,拔出腰刀,也加入了混战,他渐渐向扎得巴尔查靠近,以便指挥它屠杀猩猩。泰山深恐金毛狮子杀得性起,误伤了黑人、老人和兰,因此,更需要凝神指挥它。这时,已经有二十只黑猩猩死在地板上了,其他的见势不妙,也正想逃出屋子去,泰山转身叫住了扎得巴尔查。又盼咐黑人说:"去!把台上那个假狮子皇帝拖出去,弄到屋子外面去,真的狮子皇帝该升上它的宝座了。"

老人和兰很惊奇地看着泰山指挥着狮子。

被泰山带进屋来的那个黑人问泰山:"你到底是什么人?是做什么的?你怎么随意就能指挥一头丛林中的狮子?"

泰山只淡淡地笑了笑,说:"你看,现在,我想我们可以平安了,从今往后,你们黑人可以安居乐业,不会再有猩猩来找你们的麻烦了。"

黑人们把台上死狮子的尸体拖走,丢到屋子外面去了。泰山命令扎得巴尔查坐到宝座上去,转身对黑人说:"你们看!这才是真正的狮子皇帝,它用不着金链子锁着。你们快派几个人,到王宫后面去,到你们人民居住的地方去,叫他们到这里来,看看这真皇帝,它是不会虐待黑人的。快去吧!多叫些人来,也好让咱们这边多增加一些战士。要快些,猩猩的增援部队很快就会到来。"

黑人听了这话,仿佛也马上醒悟了,头脑似乎也变得聪明起来了,三个黑人,接受了泰山的命令,马上飞奔而去。另外的黑人都静静地望着泰山,脸上露出一种庄严的敬畏神情。后来兰走到泰山身边,她脸上竟也有了和黑人相类似的表情,她说:"我真得感谢你,人猿泰山!我心知你一定会到这里来救我的,我也知道,不是爱情的力量驱使你冒此大险的。现在,你已经差不多快成功了。但是,我听过很多关于猩猩蛮勇无匹的故事,知道到了这种地方,绝没有生还的希望。所以现在我求你一件事,你赶快一个人逃出去。不要因为我拖累了你,在我们这群人当中,能够独自逃出去的,只有你一个人!"

泰山说:"兰,在现在这个时候,你可千万不能泄气,我不但相信我们可以逃出去,而且还相信那些黑人也能恢复自由,这是我答应过他们的。但是即使做到了这一步,我还不够满意。我一定要惩罚这些不懂得尊敬人类生命的畜生,连你们奥泊城里那群叛逆的祭师也包括在内。我的计划是要让你出了这座钻石王宫,然后回到奥泊城内原应属于你的宝座上。若做不到这一步,我是不可能满意的,若不达到这些目的,我决不肯离开这个地方,倘若丢下你们不管,只顾一人逃命,我成什么人了!"

老人说:"你真称得上是一个无畏的英雄,而且你现在占尽的先机已经超出了我的想象。尽管如此,我还是认为这位女士的话是有道理的,因为你不知道猩猩的厉害,也不知道它们操纵黑人的能力。你必须打破黑人们长期以来养成的奴隶观念,你可知道,要改变一种长期形成的观念,可不是一蹴而就的事。我这些都是由衷的忠言,我希望你靠着超常的英勇,一个人逃出王宫,趁着猩猩还没有反攻之前,再耽搁下去,可就真的来不及了!"

兰忽然指着前面说:"看哪!现在已经来不及了,它们已经反攻了!"

泰山抬头一看,果然看见屋子的尽头,有一大群猩猩,远远地向这里奔来了。他的目光,马上转向另一边墙上的窗口,说:"别忙,看看另外一个方向有什么动静。"

其他的人也跟着向那边望去,只见有几百个黑人也向这里奔来了。那站在高台上的黑人,非常兴奋地喊道:"看哪!我们的人也来了!我们的人也来了!这下我们可以自由了。猩猩没法再让我们做苦工,我们再不会疲惫而死了,它们没法再虐待我们,或拿我们去喂狮子了！"

猩猩和黑人，几乎是同时到达的，当第一个猩猩跑进屋里的时候，另外一边，黑人也从几扇窗子里跳进来了。走在他们最前面的，是刚才派去的三个送信的黑人。这三个送信的人，向黑人们做的宣传非常得体而有效，黑人们受了突然而来的能够获取自由的思想鼓舞，好像一下子变成了另外一群人。猩猩的首领看见他们，还以为依然是旧日的奴隶，命令他们去捉台上的叛徒，但是，黑人们的反应却完全不同了，他们举起长矛向猩猩掷去，那个猝不及防的猩猩马上倒在地上死了。

于是一场血战就此开始了。

王宫里黑人的数目远远超过了猩猩，凭着室内这种形势，可以抵挡住更多的猩猩进入室内。泰山熟悉黑人们的性格，他们需要受到鼓舞，于是就命令金毛狮子到黑人那边去，泰山自己也走下高台，指挥黑人作战。在每个门口都派了驻守的人，泰山领着黑人们，在等待后面迟来的接应。然后，泰山和老人商议，泰山说："那东面的门是开着的，如果叫二三十个黑人去，不知是否能通过？我想叫他们走进树林去，送信给各个村落的黑人，告诉他们王宫里已经发生战事，同时也对他们讲明，黑人们在为自由而战，叫他们打发所有能参战的人，来参加这次解放自己的战争。"

老人说："好！这个计划好。幸亏那些猩猩，还没有把守住那道门，我想，事不宜迟，马上派人出去，还是做得到的。但是我们派去的人，一定要得力才行，对那些村落的人做宣传，说话可要有点分量。"

泰山说："好！那么请你快去挑选一些人出来，把我们的意图告诉他们,要他们认真去宣传,务必让各村落的人,都来参加这场生死攸关的战争。"

老人马上选出了三十个武士,并且向他们详细解释了这次的使命。黑人们也都赞同这个计划,并且都向泰山保证,半个小时之内,第一批援兵一定能够赶到。

泰山忽然又想起一件事,说:"你们离开这里之后,如果能够办到的话,把沿途的门锁都砸坏,以免猩猩把门锁起来,阻断我们的援兵。另外,千万要叮嘱他们,先赶到这里的人,暂不要忙着进来,必须站在墙外等一等,免得势单力孤,过早地被猩猩消灭了,等到人数到齐,再打进王宫里来。"

那几个黑人都听明白了,接着,他们就从一扇窗子中跳出去,向外奔去,很快就消失在夜色中。

那批黑人刚出发不久,猩猩们就开始反攻了,首先受到袭击的是甬道里站在门口的哨兵,不大工夫,就有二十只猩猩冲进屋里来了。这次反攻,猩猩们渐渐占了上风,当然这会影响黑人们的情绪,他们对猩猩又害怕起来,开始有点畏畏缩缩,不敢反抗了。泰山怕形势急转直下,就跳到前面,帮助黑人阻止猩猩的冲锋,同时,又命令扎得巴尔查从台子上下来,泰山指着离它最近的猩猩,命令金毛狮子:"杀!杀!"

扎得巴尔查马上向它近旁的一只猩猩扑了过去,咬住它的喉管,它的尖利的牙齿,只稍一用力,就陷入猩猩的颈项,只见被它咬住的猩猩,立即惊慌失措,只一眨眼工夫,狮子口里就丢出一只死猩猩来。泰山不断地向金毛狮子下着指令,狮子依照泰山的命令,不断地向猩猩扑去,接二连三地,猩猩都被它咬死了。其

猩猩们开始反攻了。

他的猩猩看形势不妙,都打算往外逃,黑人就趁着这个优势,又杀上前去,切断了门口的通道,阻住了惊慌逃窜的猩猩。

泰山赶快向黑人们喊道,"活捉猩猩!活捉猩猩,不要杀死它们!"然后又对猩猩喊道:"只要你们肯投降,可以不杀死你们!"

扎得巴尔查站在泰山身边,向那些猩猩怒吼着,有时又用恳求的目光看看泰山,似乎在说:"让我冲入它们群里撕咬个痛快吧!"

尚未来得及逃出去的猩猩还有十几只。它们四面望望,犹豫了一会儿,最后,终于有一个放下了武器。其余的猩猩,互相望了望,也都陆续放下了武器。

泰山转身对金毛狮子说:"扎得巴尔查,往后退!"又向高台上指了指,狮子驯服地向台子上走去。转身又对放下武器的猩猩们说:"你们当中出去一个,去向你们的族群传话,就说人猿泰山命令它们,必须立刻全体投降!"

猩猩们互相低语了一会儿,有一个站出来,表示愿意去传话。它出去了之后,老人走到泰山身边说:"我估计它们决不会全体投降的,咱们要小心遭它们的暗算。"

泰山说:"你说得有理,我也料到了这一点。不过,咱们现在要在附近找一个妥善的地方,把这些已投降的猩猩囚禁起来,它们虽然为数不多,要是加入了它们自己的群体,毕竟还是战斗力。"

老人指着御室的门口说:"我倒知道这里有一些房间,囚禁它们是非常合适的。在瞭望塔里,跟这一样的皇帝的御室有好多间呢,足够囚禁它们的。"

泰山说:"好!"就按照老人所指,把那些猩猩囚禁了起来,并且锁好了门。这时,泰山他们已经能够听见,在走廊里有大队的猩猩，它们似乎在议论纷纷，在商量如何对付泰山提给它们的条件。十五分钟过去了，没有结果，泰山耐心地等着，又一个十五分钟过去了，猩猩们还是没有拿出答案来，然而也没有要反攻的样子。然后，奉泰山之命去传话的那只猩猩回来了。

泰山问它："它们是怎么回答的？"

那猩猩说："它们不肯投降，它们只允许你离开这个山谷，还要求你释放被你囚禁起来的那些俘虏，并且不许伤害其他的猩猩。"

泰山坚定地摇摇头说："这个我不能答应。我有力量消灭掉钻石山谷里猩猩的势力，不相信就让它们走着瞧！"

说完，他又转身指着扎得巴尔查说："你们没看见吗？这才是真正的狮子皇帝，你们原先供奉在高台上的那只，不过是个普普通通的野兽罢了。你们看好了，这只金毛狮子才是真正的狮子皇帝，真正的百兽之王。它不像原来的那只老黑狮，你们奉它为皇帝，其实它倒像个俘虏和奴隶，必须时时用链子锁着。这头狮子可不一样了，它才配称真正的狮子皇帝！还有一点，你们必须明白，这里还有一个比金毛狮子皇帝更伟大的，可以给金毛狮子皇帝下命令并且可以使唤它的人，那就是我，人猿泰山！猩猩们要放明白些，必须看清面对的形势，如果惹怒了我，不但金毛狮王可以惩罚你们，你们更逃不出人猿泰山的手心。黑人现在已经是我的子民了，猩猩很快也会成为我的奴隶。快去告诉猩猩族群，它们要想活命，只有一条路，那就是求得我的宽恕，向我投降！快去传达我的命令吧！"

传话的猩猩又走了，泰山转身看看老人，只见他眼里闪着一种光辉，泰山看出来，老人现在已经不害怕了。泰山长舒了一口气说:"现在,我们起码能赢得半个小时的停战时间。"

老人说:"我看要真正分出胜负来,咱们还需要更多的时间。尽管如此,你所取得的成就,已经出乎我意料之外了,可以看得出来,猩猩在你这里受到了挫折,开始怀疑它们自己的威势了。"

这时,走廊上的动作声比议论声更大了,一大队,约有五十只猩猩,占据了御室外面的甬道。它们都静静地没有走动,似乎在准备武器,看样子,是不让室内的人图谋逃出去。其余的猩猩,则在这一队猩猩的背后走来走去,渐渐占据了王宫的走廊和门口。这时,黑人、老人和兰,都盼望着黑人的援兵早一些开过来,泰山坐在高台上,俯着上身,用一只手臂搂着扎得巴尔查的脖子。

老人低声对泰山说:"它们怕有另外的诡计呢,我们必须提高警惕。如果村落里的黑人现在来了,咱们就足以抵抗这些猩猩了,我相信,至少,我们能很容易地逃出王宫。"

接着,是一段很长时间的沉寂,谁也没再说话,只能听见黑人牙齿的打战声。他们似乎因为援兵久久不来,渐渐感到失望,斗志也在慢慢涣散。大家都在猜测猩猩到底有什么阴谋,不免疑神疑鬼,猩猩们现在的静止不动,反倒比猛攻更让黑人觉得可怕。最后,兰第一个打破沉寂,问了一句话,她说:"看刚才那三十个黑人,很容易就走出了王宫,我们为什么不趁机离开这里呢?"

泰山说:"现在还不是我们走的时候,这有两个理由:第一,猩猩的数目超过我们好多倍,很容易阻断我们的去路,援兵还没有到,我们很容易被它们包围;第二,我还想让它们吃足了苦头,以便让以后到钻石山谷来的人,不再受它们的迫害。"泰山停了一会儿,又继续说,"现在我想告诉你们,我们现在不马上走,还有一个理由。"他说到这里,指了指对面的窗子,"你们看见了吗?外面的园子里,还有大队的猩猩。且不论它们将有什么阴谋,我们若从窗子里逃出去,正好落入它们的包围圈。若不是我观察错了的话,我敢断言,在宫廷台阶上的猩猩,正在坚守着,可是它们不敢进攻。"

老人走到窗边望了望园子里,然后回到泰山身边来说:"你说得不错,猩猩们坚守在窗子外面,也许有的已守到御室门口来了,你看,我们到底怎么办才好呢?"老人说完,没等泰山回答,就走到屋子对面,揭开幕幔,看见外面果然有一小队猩猩,静静地站在那里,却没有冲进来的意思。老人马上回到泰山和兰的身边,说:"果然不出我所料,它们已经把我们包围了。如果黑人们的增援部队还不来,我们很可能被它们歼灭。"

泰山说:"恐怕也不像你说的那么容易,因为它们的力量是分散的。"你说的那种结果,我们也不能不顾及到,看来,我们也得拼个你死我活了。"

兰忽然惊叫起来:"你们看,那是什么?"老人和泰山被这声惊叫吓了一跳,顺着兰的目光向上望去,只见天花板上有十几个原可以打开的洞口,每个洞口里都出现了一张猩猩的狰狞的脸!

泰山叫道:"它们在上面捣什么鬼!"他话音刚落,猩猩就从洞口扔了东西进来,他们仔细一看,扔进来的是用油浸透了的破布,用羊皮条紧紧捆扎在一起,已经点着火了,正一团团不断地往屋子里扔进来。不大会儿工夫,屋子里就充满了燃烧羊毛和布料的呛人的烟气。

十五
陆美尼的阴谋

埃斯特本和奥瓦扎定好了计,把黄金另外埋了一个地方之后,就又往回走,走到他们带来的五个黑人等着的地方,会合到一处,就在河边搭起帐篷来过夜。他们决心不再回弗洛兰一行人的营地去,而直奔另外的海口,去雇一些脚夫来搬运这些黄金。

埃斯特本忽然想起一个新计划来,就问奥瓦扎说:"要雇脚夫,何必跑到海口去找,然后还要折回来呢?当地土著人里,不也有不少脚夫吗?我们何不到附近的村里找呢?这样,不就不用徒劳往返了吗?"

奥瓦扎说:"当地的脚夫是不肯走远路的,他们不肯把我们一直送到海岸码头,顶多帮我们从这个村挑到另一个村就算完了。"

埃斯特本说:"就是这样,也不是不可以呀,我们在这个村雇了脚夫,他们把我们送到另外一个村,然后我们再在当地另雇脚夫,就这样接力一样一站一站往前走,又有什么不可以呢?"

奥瓦扎想了想,摇摇头说:"主人,你这倒是个好主意,可以省很多时间,然而要费很多钱,我们哪儿来的那么多钱,打发那么多脚夫啊?"

埃斯特本搔了搔头皮说："你说的也是。我只想到不到海岸打来回，可以省去不少时间。"

他们为此事踌躇了好一会儿。

最后，埃斯特本下了决心说："算了吧，我们即使雇到脚夫，现在也不敢直接跑到海岸去，要是碰见弗洛兰领着的那一帮人，事情就完全糟了。我想，最好还是等他们离开非洲之后，我们再平平安安把这些黄金运到海岸去。这样算来，我们大约有两个月的耽搁，等他们抢完象牙，拖着脚夫和行李，走到海岸，恐怕还得要一段时间呢！我们何不趁在这儿等的时间，挖出一块黄金来，到附近的村子里换一些日用品和钱，然后可以雇脚夫，把咱们的黄金包扎好，慢慢从这个村搬到另一个村？"

奥瓦扎赶忙恭维说："主人的主意，真是聪明绝顶。这样不但我们手头有些钱用，还可以省去许多往返的时间和精力。只是沿途要格外小心，不要碰上弗洛兰他们那一帮人。咱们人少，队伍小，万一碰上了，在丛林里躲起来，也不是多难的事。"

埃斯特本说："好！就这么办。明天早晨，我们就去挖一块黄金出来，但是，咱们的行动必须严密，不能让第三个人看见。等咱们挖完之后，再回来的时候，即使再碰见人也不怕了，我最担心的是暴露埋藏黄金的地方。"

第二天早晨，埃斯特本和奥瓦扎把另外的几个黑人打发去干别的，他们两人又回到埋黄金的地方，挖出了一块黄金，把其余的依旧埋好。

挖完了一块黄金之后，埃斯特本又做了一件事。他先打死了一只小野兽，削尖了一根树枝，蘸着野兽的血，画了一幅详细的地图。他向奥瓦扎问清了这里这条河的名称,注在地图上。然后把埋金地四周显眼的标志,从这儿到海岸的路径,都一一画清楚。特别该注明的重点,都另外摘录在地图下面了。做完了这些事,他非常满意,就把这张地图收藏在他披在肩上的那张豹皮里面了。他为什么要这样做呢?原来,他考虑到即使奥瓦扎一旦发生什么变故,他一个人也能找到埋藏黄金的地方。

琴恩从庄园到达海岸,正要上船赴伦敦的时候,收到一封电报,说她父亲的病已脱离危险,渐渐好转了,告诉她没有必要远路奔回去。于是琴恩在海岸休息了几天,才踏上炎热的旅途,准备仍取道回庄园去。当她回到庄园时,才知道泰山到奥泊城去找黄金至今还没有回来。她看看儿子杰克,也在为此事而担忧,她明白杰克担心父亲会遇到什么危险,只是不愿意说出口罢了。琴恩回到家,才听说金毛狮子也逃走了,心里十分惋惜,因为她知道这头狮子是泰山心爱之物,不过已走失多日,估计也很难找回来了。

琴恩回到庄园的第二天,陪伴泰山去奥泊城的瓦齐里武士们,都回来了,一问,才知道泰山命令他们不要等自己,所以他们没有和主人一起回来。琴恩听了他们的报告,更加为泰山担忧了,她向他们仔细盘问了情况,知道泰山又遇到了一次危险,于是宣布她要亲自去找泰山,并且吩咐那五十个刚回来的瓦齐里武士跟她一道去。

杰克劝阻琴恩,但琴恩坚决不听,最后杰克提出跟母亲一同去。

琴恩说:"我亲爱的儿子,我们不能一起都离开庄园,你必须留在家里处理一些事。万一我这次去,失败了回来,就让你再去,这样不好吗?"

杰克有点着急了,说:"妈妈,你知道的,我不能让你一个人去。"

琴恩笑了笑说:"我不是一个人去呀,有五十个瓦齐里武士陪着我呢。杰克,你该放心才是,我有他们在身边,即使到了非洲中部蛮荒地带,也会像在牧场上一样安全的。"

杰克说:"有五十个瓦齐里武士随行,我也相信是安全的,因为他们都很勇敢,而且忠心耿耿。但是,妈妈!我还是希望我陪你去,庄园里的事,有梅林在家处理,不也一样吗?"

琴恩说:"是的,梅林在家,也能处理日常事务。但是,你不用担心,你知道我在丛林里生活的本事,虽然比不上你爸爸和你,但也逊色不到哪儿去。何况还有瓦齐里武士在身边,我会有什么危险呢?儿子,你尽可以放心。"

杰克说:"妈妈,我相信你说的都对,但是,我不愿意你把我丢在家里,而你一个人去!"

琴恩终于没有听杰克的劝阻,第二天早晨,她仍旧带了那五十名瓦齐里武士,登程去寻找泰山了。

再说埃斯特本和奥瓦扎,没有按照他们约定的时间回到营地,开始队伍中的几个白人都对他们大发脾气,抱怨他们不知游荡到哪儿去了,让大家担心。过了一阵,气出够了,又都高兴起来,因为他们担心如果奥瓦扎不回来,没有了向导,他们会找不到去海岸的路。而且,要把这群野蛮的脚夫管得服服帖帖,也只有奥瓦扎一个人能胜任。这些黑人原以为奥瓦扎这次失踪,恐怕是与埃斯特本串通好了有意抛弃他们的。陆美尼,就是奥瓦扎不在时,代替他工作的人,他的看法是:奥瓦扎和埃斯特本,恐怕是暗中去追踪抢象牙的阿拉伯人去了。他们想独自去抢夺象牙,这样,分象牙的人,就只有埃斯特本和奥瓦扎两个人了。

弗洛兰还不大相信陆美尼这个看法,她问陆美尼说:"可是,他们两个人,怎么辖治得了一大群奴隶呢?"

陆美尼说:"看来,你还不够了解奥瓦扎这个人,他有本领引诱阿拉伯人手下的奴隶为他所用。那帮抢象牙的阿拉伯人看到和他在一起的是人猿泰山,当然也会打心眼里害怕。"

克赖斯基在旁边听了说:"我觉得他说得很有道理。埃斯特本这个人也确实干得出这种事来。"然后他又转身问陆美尼,"你能领我们到阿拉伯人的营地去吗?"

陆美尼说:"我当然可以。"

克赖斯基高兴地说:"弗洛兰,我倒有一个好主意了,你听听看怎么样?我们派一个跑路跑得很快的人,到阿拉伯人营地去。预先告诉他们,有什么样子的两个人要来,一个叫奥瓦扎,一个叫埃斯特本,尤其要告诉他们,那个人猿泰山是个假的。我们可以让阿拉伯人捉住他们两个,等我们去了,再见机行事。不妨先跟阿拉伯人套近乎,仿佛咱们真心要跟他们做朋友一样,然后等他们不防范咱们了,就可以进行咱们最初的计划了。"

弗洛兰听了说:"不错,你这个计划很好,这是一个将计就计的反间计。嘻嘻,这倒是你自己一贯的作风。"

克赖斯基脸一下子红了,说:"你用不着挖苦我,俗话说,'天下乌鸦一般黑'呢!"

弗洛兰没再说话，只耸了耸肩，布鲁伯尔、皮勃勒斯、瑟洛克都在静静地听着，布鲁伯尔第一个喊着说："你说'天下乌鸦一般黑'，这话是什么意思？谁是骗子？我告诉你，克赖斯基先生！我是一个老实人，做正当的买卖，公买公卖，从来没有人说我布鲁伯尔是骗子的。"

弗洛兰不耐烦地笑了笑说："咱们现在谁也没有必要去计较老实人和骗子一类的话，我们应该认真讨论的，是对克赖斯基提出的建议，大家是否赞同？因为我们付诸实施之前，必须要好好商量一下。咱们这里现在有五个人，让我们来表决好不好？看这件事是干还是不干？"

克赖斯基问陆美尼："咱们部下的那些黑人，也跟我们一同去吗？"

陆美尼说："如果他们也有分象牙的份儿，当然愿意跟我们一块儿去。"

弗洛兰问道："先在我们这里统一了意见再说，有几个人赞成克赖斯基的计划？"

大家都表示了同意，事情就这样定下来了。

半个小时之后，他们派了一名飞毛腿，拿着给阿拉伯人的信，寻找路径到阿拉伯人的营地去了。飞毛腿走了之后，这些人也收拾帐篷和行李，朝着同一方向出发了。

一个星期之后，他们终于找到了阿拉伯人的营地。送信的飞毛腿早就到了这里，已等得望眼欲穿，埃斯特本和奥瓦扎却没来这里，也没听说他们在附近的什么地方。正因为如此，阿拉伯人对弗洛兰等一行人起了疑心，深恐送信人引来的这一批白人和武装的黑人来抢夺他们的营地。

琴恩带着五十名瓦齐里武士们,很快地朝前走着,最后,终于走到了瓦齐里武士和埃斯特本分手的地方。在这里他们发现了弗洛兰等一群人的脚印,他们却误以为是人猿泰山留下来的。琴恩带着瓦齐里人,就跟着脚印走,走到离阿拉伯人营地约一英里的地方,搭起帐篷,驻扎下来。琴恩到这里的时间,比弗洛兰等人迟了一个星期。

弗洛兰等人在等着看,倒要看看奥瓦扎和埃斯特本两个人,是不是像陆美尼说的根本就不会回来找他们了,或者,他们也许找到其他的阿拉伯人营地去了。在等待的这一段时间里,陆美尼和其他的一些心腹黑人,却在暗中进行活动,他们在阿拉伯人的奴隶中,大肆煽动,劝诱他们叛变。他虽然每天都向弗洛兰汇报工作情况,但那多半是编造出来的,藏在他心里的狡计,他瞒得严严实实,一点儿也没有吐露。陆美尼煽动奴隶的具体是:劝诱他们起来造反,杀了阿拉伯人和白人,只留下弗洛兰一个,他准备留个女人自己享乐,然后还可以卖给北方的苏丹人。陆美尼自以为计划得天衣无缝,先借白人的手,杀了阿拉伯人,然后趁白人胜利冲昏头脑,分阿拉伯人财富的时候,再组织黑人偷了他们的武器,把他们也都杀了。

陆美尼的计划本来没有什么漏洞,很容易成功的,但事情就坏在一个黑人小男孩的身上。这小孩平时是服侍弗洛兰的,因为弗洛兰平时对他很好,他听到了这个消息之后,思想斗争了很久,最后还是不愿意看着弗洛兰遭到不幸。

弗洛兰虽然抱着很大的贪心,从遥远的欧洲来这里偷黄金,但是对这个小黑孩,心肠还不坏,她平时对小黑孩比较优待,有时甚至超出小黑孩的意料之外。

这天的下午,陆美尼来报告弗洛兰,说一切都准备就绪了,到这天晚上上灯的时候,已经和奴隶约好了时间,起来叛变,杀掉阿拉伯人。白人们心里都鼓着一把劲,准备抢劫象牙和其他财物,恨不得叛变早一点开始,好让大笔的飞来横财,落到自己手里。

在吃晚饭的时候,那小男孩不声不响地走进了弗洛兰的帐篷。他的眼睛睁得大大的,好像被吓得不得了。

弗洛兰吃惊地问道:"怎么了?你有什么事?"

那小黑孩说:"我不敢大声说,怕被别人听见,你靠近我些,我在你耳边低声说,是关于陆美尼阴谋的事。你马上就有危险了。"

弗洛兰就按照他说的俯过身去,那小黑孩说:"因为你一向待我很好,现在陆美尼要来害你了,我特意来向你报信。"

弗洛兰说:"你别慌,慢慢说,说清楚些,到底出了什么事?"

那小黑孩说:"陆美尼和黑人都串通好了,杀了阿拉伯人之后,就来杀你的同伴,把你捉起来,做他的俘虏,他准备把你玩够了之后,再卖到北方去,足可以赚一笔钱呢!"

弗洛兰问:"你是怎么知道这消息的?"

那小黑孩说:"整个营地的黑人,都知道这件事了。他们派我来偷你的来复枪和手枪,其他的黑人小孩,也要去偷他们白人主子的武器呢!"

弗洛兰顿时大怒,跳起来说:"我要狠狠教训教训这个胆大妄为的黑奴！"说着，她抓起手枪，就要向帐外冲去。

小黑孩跑过来，紧紧抱住她的腿说："别，别，你千万不能声张，你一个人敌不过那么多黑人，到头来还是会成为他们的俘虏。你平时根本不了解情况，你手下的黑人，心里都反对你们！陆美尼已经答应了他们，事成之后，每个人都可以分到象牙。他们这时早有准备了，现在你去惩罚陆美尼，反而会促使大家早一点动手。"

弗洛兰听他这么说，一时反倒没了主意，问他："那么，你说该怎么办呢？"

变故真的如小黑孩说的那样发生了。尽管黑人的枪法拙劣，可他们还是仗着人数占了上风，阿拉伯人全数被杀。第一步战役取得胜利之后，陆美尼的第二步目标，就是找那些白人。这才发现他们一个个都逃走了。黑人们马上想到了两点：第一，一定是有什么人泄露了机密；第二，他们一定还没跑远。

陆美尼马上召集手下人，向他们宣布白人已经逃跑了。并且吓唬他们说，如果等白人回来，一定会找他们报仇，到那时必定会受到严厉的惩罚。他拼命鼓动他手下两百多个武士，赶紧去追那五个逃跑的白人，估计他们即使往最近的村跑也需要一天的时间。

十六
钻石洞窟

在泰山他们战斗的王宫之中,燃烧物所冒出来的烟气越来越大了,火势也越来越旺。那些黑人都央求泰山救他们,因为他们已经看见猩猩的增援部队簇拥在外面,正在那里耀武扬威。

泰山说:"我们再等一小会儿,等烟气再浓一些,能够掩护住我们,趁猩猩看不见的时候,我们从对面那扇窗子跳出去,因为那扇窗靠近东门,是我们逃走的捷径。"

那老人说:"我有一个好主意,等浓烟把我们遮住的时候,大家都跟我来。我知道有一个地方,有个出口,那里没人把守,他们也绝料不到我们会从那儿走。我刚才跨上宝座后面的高台时,才发现这个地方的。"

泰山问:"从那里可以通到什么地方呢?"

老人说:"可以通到钻石楼的地窖里,你还记得我发现你时的那座瞭望塔吗?就是那个地方。那儿离城门最近,等他们猜出我们从哪儿跑了的时候,我们早已到了丛林里了。"

泰山叫道:"这个主意好,现在,烟已经快能掩护住我们了,等它们完全看不见的时候,我们就快速行动。"

这时,室内的烟雾渐渐浓密,屋里的人,感到呼吸困难了。人们连咳嗽带喷嚏,有几个人眼睛都睁不开了,眼泪止不住地淌下来。虽然烟已经浓了,可是还没有浓到足以遮住猩猩视线的程度。

泰山说:"我不知道还得等多少时间,现在我们的人已经有点受不住了。"

老人说:"再耐心地等一会儿,烟在不断地加浓,要不了多久,猩猩就看不见我们了。"

兰叫道:"我快忍受不了了,我被窒息得喘不过气来了,眼睛也睁不开了。"

那老人断断续续地说:"好的,忍一忍,只消一小会儿。现在对方还能看见咱们的影子。好!我想现在行了,大家都跟我来!"

说着,老人在前面领路,走过高台,后面有一个洞口,那洞口是用帷幕遮着的。老人在最前面,紧跟在老人身后的是兰,后面是泰山和扎得巴尔查。现在这头金毛狮也快透不过气来了,所以泰山也有点约束不了它,它不停地用低沉的声音发出怒吼。猩猩听着这个声音,能够知道他们正在逃走。泰山和狮子的后面,跟着不住咳嗽和打喷嚏的黑人,幸而有金毛狮子走在他们前面,使得他们不敢拼命跨越,不然,恐怕他们早就挤得一团乱了。

这个洞口出去是一条黑暗的走廊,走廊上有几级向下的台阶。他们向下走了之后,又走了许多路,才从皇帝的宫殿中,走到钻石宫里。他们很庆幸已经逃了出来,离那边因燃烧而冒出的烟雾已经很远了。他们安静地往前走着,谁也不觉得黑暗,都耐心地跟着老人前进。老人曾向他们说过,只要走过了第一道石头台阶之后,这条地道里就再没有别的阻碍了。

走到地道的尽头,老人站在一扇很笨重的门前,费了好大的力气,才把这扇门打开。老人说:"你们等一等再进去,让我去找个灯亮来。"

他们听见老人在门外走动了一会儿,接着,只见有一线暗淡的光亮,忽忽悠悠地过来了,原来,老人拿着一个灯笼来了。就凭着这半明半暗的光线,泰山看见前面有一座很大的宫殿,老人手里的灯和这座宫殿一比,真是一灯如豆,足可以想见宫殿的高大。

老人说:"你们大家都进去,随手把门关上。"又转身对泰山说:"来!在我们离开这里之前,让我领你去看一个地方,那里,有人类的眼睛从没有见过的东西。"

老人领着他们走到屋子的另一边,在微弱灯光的映照之下,泰山看见靠墙摆着一排架子,架子上面堆着许多用皮革做的小袋子。老人举着灯走近架子,从架子上取了一包下来,打开袋口,把袋子里的东西倒了一些在手心里,拿给泰山他们看,说:"看!都是钻石。每个小口袋里,大约都装有五磅重。这里的人把这些钻石秘藏着,不知有多少代了,因为他们不停地开采,这里产量又高,所以总也用不完。在他们中间有一个传说,他们坚信大西洋祖先的后人,总有一天会回到这里来,他们就能把这些钻石卖给从大西洋来的人了。正是因为这个目的,他们不停地开采,不停地积蓄,他们相信这些宝物会有销路。你们要不要拿一些?"老人说着,拿了一包给泰山,又拿了一包给兰,"我不相信这里的人会活着离开这个山谷,若真能出去,那可是个奇迹。"说着,他自己也拿了一包。

老人领着大家,从钻石洞窟走上一条简陋的梯子,很快又进到一条甬道里。这里有两扇门,都反锁着,把他们隔断在瞭望塔和王室宫殿中间,从这里到东门,倒是没有多少路。老人要想法去开门,泰山阻止他说:"别忙!等一等,等黑人们都到齐,咱们的人都聚在一块儿,再开这扇门。到那时,你和兰撞开这扇门,带领十多个黑人出去,我和其余的人把守住这道门断后,如果有猩猩追来,我可以带着余下的黑人抵抗它们。"泰山认真想了一会儿,说:"这是必要的,我们和黑人的力量必须凝聚在一起,一定不能分散。"

泰山把自己心里的打算详细地告诉了黑人,然后转身对老人说:"我看现在可以动手了!"老人退后几步,把门撞开,看看后面没有猩猩追来,这一队人就都朝东门奔去。

猩猩们还在御室的浓烟中,没有发现泰山他们已经逃走了,一直到烟渐渐散去,它们才发现对手早已没了踪影。其实这时候,泰山带领着大队黑人和金毛狮子,已经到了东门。于是几百只猩猩才知道自己上了当,大声怒吼着冲了出去。

泰山听到背后有了声音,知道猩猩们追来了,对大队人喊着说:"它们来了,快跑!兰,一直朝奥泊城的山谷跑!"

兰返身问泰山说:"那你怎么办?"

泰山说:"我要和黑人们在这儿暂停一会儿,让这些猩猩长点见识,认识一下我人猿泰山。"

兰站住了,说:"如果没有你,我决不一个人先走!泰山,我心里十分明白,你是去替我抵挡一个大危险!不,你不走,我决不能先走。"

泰山耸了耸肩说："随你自己作决定吧！我知道，我劝不动你，可是，它们已经来了。"

泰山在黑人中间，做了不少鼓舞士气的工作，才使一部分黑人又鼓起了勇气。在东门门口，泰山领导着约有五十个黑武士，站在那里，等着那几百只追上来的猩猩。

老人拉着泰山的胳膊说："我说你也快走吧！我是了解这些黑人的，只要和猩猩一交手，他们准会溜之大吉！"

泰山说："我们即使走，能有什么好结果呢？它们不是早晚会追上咱们吗？"

泰山这句话还没有说完，有一个黑人就高声叫起来："看哪！猩猩来了！猩猩来了！"他边喊边指着林中的一条小径。

泰山说："让它们来吧，我看来得正好！"他招呼好四周的黑人，自己挺身而出，向来势汹汹的猩猩们迎杀过去。在泰山身后的黑人，像潮水一样，涌向钻石王宫的东门，朝对着猩猩的一面墙壁，你一拳我一脚地打着、踢着，那面墙终于经不住众人的捶打，没多大工夫，就轰然倒塌了。

这一阵震天的喊杀声，加上墙的倒塌声，刺激了扎得巴尔查，它发起性子来，使泰山都几乎没法约束它了。它甚至不分敌友，见人就咬，泰山费了好大的力气，才制止住这头发疯的狮子。泰山的力量被狮子牵制住了，他全力指挥狮子去扑咬猩猩，自己却无暇加入战斗。好在狮子十分得力，杀伤力很强，看看猩猩严重受挫，几乎全军溃败了。

事实和泰山预料的一样，黑人受到了胜利的鼓舞，心里又充满了报仇的情绪，都奋勇地向前冲杀着，简直达到了以一当十的地步。这场恶战的最后结果,几乎到了没有猩猩可杀的程度。

战事结束之后,泰山、兰和老人,又回到了王宫的御室里,那屋里的火焰和浓烟,早已经消散。他们把各村的头目都召集来,当那些黑人站在高台前的时候,在台上站着的是三个白人,还有金毛狮子扎得巴尔查。泰山对黑人们宣布说:"钻石王宫山谷里的黑人们,今天,是你们得到彻底解放的日子!你们残暴的主人,已经被铲除了。他们压榨你们,不知有多少年代了,你们长期处于被奴役的地位,所以不可能产生一个英明果断的领袖。现在,你们自由了,必须在你们自己的种族中,选出一个合格的领袖人物来。"

黑人们听了泰山的这一席话,在一阵跳跃欢呼之后,都指着泰山,异口同声地说:"我们选你做领袖!我们选你做领袖!"

泰山举起双手,做出向下按的手势,叫黑人们肃静下来,说:"不行,我不能做你们的领袖,我不可能留在这里。我觉得,就在这里有一个人比我更合适。他和你们相处已经有很多年了。他熟悉你们的风俗习惯,他也深深了解你们的希望和需求,依我看,只有他,才胜任领导你们的职务。如果他能做你们的领袖,一定可以让你们安居乐业,幸福地生活下去。我可以断言,我说的这个人,一定会成为你们最好的领袖。"说着,他指了指站在他身边的老人,"我说的就是他。"

那老人吓了一跳,看着泰山说:"你说你不能留在这里,我和你一样,也是早就想离开这里的呀!我做梦都想回到文明社会去,人到了老年,谁不想叶落归根呢?"

泰山听了老人的话,非常缓和地对他说:"我理解你渴望回去的心情,可是,我也希望你听听我的劝告。你想想,你离开那个社会,算来恐怕有半个多世纪了,几十年的隔绝,你知道有多大的变化吗?你陡然回去,周围的人和事都是陌生的了,你再也找不到你旧日的朋友,对周围的一切,你要重新熟悉和适应,这要费多少时间和精力?而且,我在文明社会里也生活过,那里并不是没有虚伪、欺骗、贪婪和残酷,你年纪大了,你会生活得很孤独,别人也不见得会对你非常好。我曾经离开过丛林到文明的社会里生活,虽然我在那里也有几个好朋友,可是我总觉得,我受到更多的,却是奚落和愚弄。两相比较,我更愿意回到丛林里来,丛林里的生活,更纯洁,更自由。丛林里动物们的爱和憎,都是发自内心的。"

泰山停顿了一下,看看老人脸上的反应,然后又接着说:"如果你贸然回到文明社会,我估计你会后悔的,那时候你才会觉得,你走错了一步,你错过了一件你真正值得干的事。这里的这些黑人,他们正需要你呢。你在他们中间,会生活得如鱼得水。我是不能留在这里,引导他们从黑暗走入光明,因为我有妻室儿女,而你无所牵挂,你可以引导他们。你能够教养他们,成为有理智的善良的人,我还建议你和他们,要生存下去,尚武精神是不容忽视的。当你们生活过好了的时候,会遭到外人的嫉妒,如果遇到比你们更强的外族,你们若没有足够的武力,将会抵挡不住。所以你必须下大工夫,训练你的人民,保护自己的城池和民族,使每个成年人都成为勇敢的战斗员。同时还要教给他们制造武器的方法和作战的知识。难道这些不值得你下力气去做吗?"

老人聚精会神地听着泰山讲,然后低头思索了一阵,说:"我的朋友,你说得不错,既然外面的世界已经没有适合我的立足之地,而这里这些黑人,却实在需要一个领袖。我想过了,你说的这些,是我做得到的,现在,我情愿留下来了。"

这时,黑人头目很诚恳地告诉泰山,如果泰山实在不能留下来做他们的领袖,他们真心拥戴老人做他们的领袖。因为大家都了解这个老人,他从来没有压迫过黑人,大家心里都明白,老人是个好人。

有几只藏在角落里的猩猩,被黑人捉了出来,押到御室中来了,泰山和老人让它们自己决定,或是留下来当奴隶,或是离开这里。这时有些黑人想起它们平日的作威作福,气不打一处来,恨不得杀死它们出口恶气,但是老人劝阻了他们,说现在它们既已投降,就不应该再发生流血事件。黑人们对老人的主张,也觉得心服口服。

有一只猩猩问:"如果我们想离开钻石王宫,到哪里去好呢?在奥泊城外面,我们不知道还有什么地方。奥泊城里的人,却都是我们的仇人。"

泰山坐在那里沉思着,许久没有开口,几个黑人头目在热烈地讨论着究竟该怎样处置这几只猩猩。最后,泰山站起来对猩猩说:"现在,你们的族类只剩下百来个了。你们都是强悍有力的动物,同时也是能争惯战的武士。在我身边的这个女子,名字叫兰,她是奥泊城里太阳宫中的女主教,被一个奸恶的祭师抢夺了她的位置,把她赶离了奥泊城。明天早晨,我们打算去进攻奥泊城,领着钻石山谷的刚解放的黑人们,去征服那里的恶祭师卡杰。卡杰是个高级祭师,也是奥泊城的叛徒,我们必须把他赶走,保护兰重登王位。但是,在奥泊城里,卡杰及其党羽的阴谋,已经传播得比较久远,恐怕一时很难消除干净。现在,看你们愿不愿意随我到奥泊城去作战,等到兰重新登上王位的时候,你们就充当她的贴身侍卫,随时随地保护她的安全,你们不但要抵挡外来的敌人,同时还要留心内部的奸细,不许他们暗害兰。你们愿不愿意?能做到吗?"

猩猩们互相讨论了一阵,然后,它们推举出一只,走到泰山面前,说:"我们愿意照你说的办。"

泰山问:"你们能对女主教兰忠心不二吗?"

那个猩猩答道:"猩猩从来不是反复无常的动物。"

泰山赞许道:"好的,我相信你们的诺言。"又回头问兰,"你赞成这样办吗?"

兰说:"我愿意收它们做我的近卫。"

第二天早晨,泰山和兰,带着三百个黑武士,一百只猩猩,去讨伐卡杰,当然,队伍里少不了金毛狮子扎得巴尔查,泰山总是把它带在身边的。他们没有必要研究什么战略,只管浩浩荡荡地大步走出了钻石山谷。一直越过奥泊城外的山峡,抄捷径走到兰的王宫背后。

一只灰色的小猴,坐在庙宇墙上的长春藤里,看到这支浩浩荡荡的队伍走近来,它把头转来转去,看得十分专注,它连肚皮都忘记了搔,一心一意地望着这支队伍。这支队伍越是走近,小猴越觉得兴奋。它看着那高大的黑人,并不觉得可怕。后来它忽然丢魂失魄地跑到奥泊王宫的后面,原来它看见了队伍里的猩猩,对这玩意儿它可是觉得恐怖的。

卡杰这时正在庙中的院子里,早晨看到太阳东升,他奉献了一个牺牲给太阳神。那些小祭师,还有欧哈和她手下的祭师们,都望着卡杰。显然,他们中间有些不同的看法,这一点,只需看他们的脸色和欧哈对卡杰说话的口气,就可以知道了。

欧哈声音非常严厉地说:"卡杰!你近来怎么越来越蛮不讲理了呢?谁都知道,只有太阳宫的女主教,才有权献祭给太阳神,现在,你竟敢两次三番地用你那不干净的手,去玷污圣刀了。"

卡杰大声喝斥道:"别多嘴,你这无知的女人。要知道,目前,只有我卡杰是奥泊城的王,同时也是太阳神的总祭师。你,不过是受卡杰恩宠的一个女人罢了,谁给你说三道四的权利?给我老实听着,你别惹怒了我,不然,也让你尝尝圣刀的滋味,你别以为我不敢。"

卡杰的话里,充满了恐吓和威胁,其他的祭师对于卡杰如此侮辱女祭师,心里也觉得很不平。因为祭师们相信,现在的欧哈,已经处在最高的地位了,就跟过去的兰一样。加之,他们多次听信了卡杰的宣传,相信兰逃出去,已经遭到不幸了。所以他们对于欧哈,照例带着恭顺的心理。

一个老祭师对卡杰说:"你该谦虚谨慎些呢,卡杰!咱们奥泊人的传统规矩,你当然懂得,不应该破坏。"

卡杰一脸凶神恶煞的神气,说:"你竟敢恐吓我吗?你忘了我是谁,我是太阳神的总祭师卡杰!"他跳到老祭师面前,高举着圣刀,把刀摇来摇去。正在这时候,那只灰色的小猴子,已经跳到庙宇的墙头上,吓得声音发颤地叫道:"猩猩,猩猩!它们向这边来了!向这边来了!"

卡杰突然站定了,望着小猴子,那只耍刀的手也放下来了,说:"小猴,你说有猩猩?你看见它们了吗?你是不是在说谎?如果你这次还是开玩笑的话,我卡杰可饶不了你。"

小猴气喘吁吁地说:"我一点儿也没开玩笑,我说的都是真的,刚才在那边,我亲眼看见它们往这儿走的。"

卡杰问:"你看见它们有多少个?它们离奥泊城还有多远?"

小猴说:"多极了,它们多得像树叶一样,我数不过来。猩猩队伍里还有黑人,已经快走到庙宇的墙根下头了,看他们来者不善呀。"

卡杰立刻转过身来,面向着太阳,发出一声吼叫,吼完之后,他全身颤抖起来,他这样连吼了三声,然后盼咐院子里所有的祭师们,跟着他向王宫奔去。当他们拿起武器正跑的时候,又来了十多只灰色的小猴子,它们叫叫嚷嚷地说:"不在这里,猩猩不在这里。"说着用手指着城的南边。

卡杰等人走进了宫殿,又改走另一条路,他们爬上王宫的墙头去观望,这时,泰山率领的队伍,恰巧就停在墙外。

卡杰叫道:"石块!快拿石块来!"

那些在院子里的女人们,听到卡杰的命令,都七手八脚地去捡石块,搬到城墙上,交给祭师们。

卡杰对着城外的队伍,高声喝道:"嗨,听着,都给我滚开些。我是卡杰,是太阳神的总祭师,不准你们来污辱太阳神的庙宇,否则就让你们见识太阳神的威严。"

泰山抢前一步,站在队伍的最前边,举起一只手来,表示让大家静一静。然后向墙头上的奥泊人说:"你们的女主教兰,也就是你们奥泊城的王后,现在在这里。卡杰是一个叛徒和骗子,现在快打开大门,欢迎你们的王后进城,把卡杰这个叛贼抓来审判。这样,你们的罪就可以得到赦免了。如果有人反对兰进城,别怪我们不客气,那可就要动武了。"

兰在泰山说话的时候,走到了泰山的身边,让她的人民能亲眼看见她。这时,墙头上浮起了一片呼唤女主教的声音,也夹杂着反对卡杰的声音。卡杰这时心里也明白,人心并不向着自己,但还是厉声地命令大家进攻,他自己也捡起石块来,向泰山扔去。他的石块没有击中泰山,却打倒了一个黑人。接着,城上一片飞石打下来,卡杰的心腹们呐喊连天。黑人和猩猩,在泰山的指挥之下,拿着刀棍,爬上城墙去。泰山也和众人一样,爬上了城墙,他始终把卡杰作为袭击的对象。他瞥见卡杰转身,隐藏到院子里去了。这时,城墙上有两个奥泊城的武士来阻击泰山,泰山夺下他俩手里的木棍,向两边一挥,那两个奥泊武士,马上一个跌向东,一个跌向西去了。泰山的注意力,一直在卡杰身上,因为只有他,才是个不能宽恕的罪魁,无论如何不能让他漏网。当泰山从墙头跳到院子里的时候,看见卡杰钻进院子对面的一条小巷里去了。

有些男女祭师,过去是见过泰山的,想要阻住泰山的去路。泰山顺手逮住一个男祭师,抓住他的腿腕,向左右两边抡去,于是打开了一条路,顺利地走向了院子的对面。泰山就站在这个地方,对准后边的追兵,把手里的人扔了出去。

泰山先不管后面的追兵,只顾去追卡杰。他跟在卡杰的后面,在弯弯曲曲的小径上奔跑着,在奥泊城里,卡杰对一切是熟悉的，这一点，他比泰山占便宜。泰山依稀记得这条路，是通到庙宇里去的，假如卡杰钻进宫殿底下的地道，躲藏起来，那可就不好找了，因为那些地道，都是既弯曲又黑暗的。泰山很想跑到祭坛前面去阻止他，谁知这一下却中了他们的埋伏。泰山刚跨进院子的门口，没有防备那里埋着一个活结，泰山没有留心，被活结一绊，就跌倒在地上了。这时候，一大群奥泊城的矮人，不知从哪里钻了出来，乱哄哄地向泰山扑来，还没容泰山站起来，就把他捆住了。

泰山只觉得这群矮人把自己抬起来了，放到了一块冰冷的石板上。当他完全清醒过来的时候，才知道自己是被绑在太阳神的祭坛上。在他面前，站着的正是卡杰，他那难看的脸色，显出一副很凶恶的神情，看那样子，他是迫不及待地要报仇了。

恨得咬牙切齿的卡杰咆哮道："这一次，你休想能脱逃了。人猿泰山，一定要让你尝一尝，胆敢惹恼了太阳神总祭师卡杰，会是个什么结果！"

正当卡杰高举起圣刀的时候，泰山侧眼一看，正看见金毛狮子扎得巴尔查进到院子里来了，泰山马上大喊：

"扎得巴尔查，杀！杀！"

卡杰冷不防吃了一惊，他举着刀的手，停在了半空。顺着泰山的目光望去，这时金毛狮子已跳进殿里，它照直向奥泊城的总祭师扑去。卡杰一哆嗦，手中的圣刀掉在了地上。扎得巴尔查扑到卡杰身上，一口咬住了他的喉咙。

那些小祭师设圈套逮住了泰山，正一心一意地想看泰山怎样死在卡杰手中，根本没有想到从院子跳进来一头他们从没有见过的、十分硕大的金毛雄狮,吓得他们连滚带爬,想往殿外逃去。到最后,祭坛上只剩下了泰山和扎得巴尔查,祭坛下躺着的是卡杰的尸体。

泰山命令金毛狮子:"来,扎得巴尔查,就守在这里,不许别人来伤害泰山。"

外边混乱了大约有一个小时,兰率领的那些猩猩保护着兰,作战非常勇猛,兰的队伍终于大获全胜。他们冲入了奥泊城和庙宇中,那些没有死的祭师和武士马上宣告投降,拥护兰仍做女王和女主教。兰便命令他们在城里寻找泰山和卡杰。她自己也领了一些武士,拐进了通往祭坛的巷道。

她向祭坛殿里面一看,马上站住了,因为她已经看见泰山被绑着,躺在祭坛上,那头金毛狮子,目光炯炯地守在祭坛旁边,看着走过来的人。

兰一边高叫着:"泰山!"一边奔到祭坛前,迫不及待地告诉泰山,"兰已经获得了胜利!我在到处找你,真是老天保佑,我以为泰山死了呢!"

泰山说:"不,我没有死,但假如没有扎得巴尔查及时赶到,恐怕我已经死在卡杰的圣刀下了。"

兰忍不住高声叫道:"谢谢太阳神!"她要往祭坛边走,给泰山松绑,但看着那头目光炯炯的狮子在低声咆哮着,她无论如何不敢往前走。

泰山命令金毛狮:"下去!让她上来!"扎得巴尔查便乖乖地躺在泰山身边,把它的头靠在泰山胸前,完全是一副驯顺的样子。兰于是走上前来,拿起圣刀,割断了泰山身上的绑绳。这时她才看见,在祭坛下躺着的,正是卡杰的尸体。

泰山说:"兰啊,你的仇人已经死了,这个功劳,你可应该谢谢扎得巴尔查,我也应该感谢它的救命之恩。从今以后,你可以在奥泊城里安享太平的日子了。我要奉劝你一句话,你应该善待那些从钻石山谷里来的人民。"

这一天的晚上,泰山、从钻石山谷来的黑人和猩猩,还有奥泊城的男女祭师,都坐在奥泊王宫的大餐室里,成了王后兰的佳宾。大家都用贮存已久的、只有盛典时才用的黄金餐具吃饭。这些餐具,样式非常古老,过去曾在欧洲风行过一时,可是现在,恐怕只有在传奇书里才能读到了。到了第二天早晨,泰山带着扎得巴尔查,踏上了回瓦齐里故土的归程。

十七
真假难辨

弗洛兰和她的四个伙伴,在黑暗的丛林里急急地奔跑着,在他们身后,则是率领着两百个武士的陆美尼在紧追不舍。逃跑的五个人东冲西撞,并没有明确的目的地。他们每个人都在想,希望离开阿拉伯人的村寨越远越好,因为即使不被后面的追兵抓住,被阿拉伯人抓住,也同样不能活命。他们往前跑了约有半个小时的光景,正想要歇一口气,忽然听得身后又有了脚步声,只好又爬起来,不辨方向地继续往前逃走。

跑了一段路之后,他们忽然看见前面,有闪闪的火光,心里不觉一惊,在这荒野里,这火光是从哪儿来的?难道自己跑了这么久,又兜回到老地方了吗?虽然这样狐疑着,脚下却不敢停住,还得继续往前跑。跑近了,终于看清楚了,前面有一圈用荆棘围着的地方,中间燃着一堆小小的篝火。圈子里面有五六十个黑武士,围坐在火堆边。他们走得更近些,才看清还有一个白人站在篝火的光亮能够照见的地方,那是一位白种女人。弗洛兰等人,听到背后的脚步声越来越近了。

那些黑人,也都脸朝着阿拉伯人营地的方向站着,从他们的神情可以看出,他们也在倾听不知从哪儿发出来的声音,从这个声音在推测将会发生什么事。接着那白女人做了一个手势,意思也是叫黑人们静听,这说明,她也听到弗洛兰等人的脚步声了。

弗洛兰对她的伙伴说:"我看到火堆旁有个白种妇女,我们虽然不认识她,但到底属于同一种族,说不定她能救助我们,目前看来也只有她是我们唯一的希望了。背后追咱们的人,已经快要到了,在这危急关头,也许她能保护咱们。来,我们就去找她吧。"她不等她的伙伴们回答,便直接向荆棘圈走去,克赖斯基等四人只好在后面跟着。

弗洛兰等人没往前走多远,那些目光锐利的瓦齐里武士已经看见他们了。于是他们拿起了长矛,在做着戒备。

有一个黑武士高声叫道:"站住!我们是泰山庄园上的瓦齐里人,你们是什么人?"

弗洛兰答道:"我是一个英国妇女。这些都是我的同伴,我们在丛林里迷了路,本来我们雇了一些守卫的人,没想到遭了他们的暗算。那些守卫,在他们头目的带领下,还在后面苦苦地追赶我们。我们这里,只有五个人,万望你们能给我们一些救助。"

琴恩对瓦齐里人说:"让他们进来吧!"

当弗洛兰等人走进琴恩和瓦齐里人的营地的时候,他们都没有察觉,在营地对面的一株大树上,正有一双眼睛在看着他们。那是一双灰色的大眼睛,猛一看,非常像泰山,在目送着弗洛兰和她的同伴,走进荆棘围着的营地里去。

等弗洛兰走近琴恩身边,琴恩大吃一惊,不觉失声叫道:"咦,你不是弗洛兰吗?你怎么也到这里来了?"

弗洛兰也同样吃了一惊,停住脚步,叫道:"我没认出来,原来是爵士夫人。"

琴恩继续说:"我真不明白这是怎么回事,快告诉我,你是怎么到非洲来的?为什么不到我庄园上去呢?"

弗洛兰不觉愣了一愣,但马上接着说:"我和布鲁伯尔先生还有他的朋友们到非洲来,是为了搜集一些科学上的材料的。他们之所以叫我同行,是因为我曾经跟夫人和爵士到过非洲,比较熟悉这里的风土人情。怎么也没想到,途中我们的奴隶会叛变,我们慌不择路,害得我们迷了路。如果不是遇到夫人,我们也许会死的。"

琴恩问:"后面追你们的人,是西海岸雇的脚夫吗?"

弗洛兰回答说:"是的。"

琴恩说:"他们一共有多少人?我想,我们的瓦齐里武士能够对付得了他们。"

此时克赖斯基插嘴说:"追我们的大约有两百人。"

夫人摇摇头说:"不怕,他们的力量差得远呢!"她转身吩咐瓦齐里武士的头目乌色拉,"有两百个西海岸的脚夫,在追赶这些白人,我们作好准备,必须用武力保护他们。"

乌色拉自豪地回答:"我们足以能胜过他们,因为我们是瓦齐里人。"

没过多大工夫,陆美尼带领的一帮人,已经到了篝火的光亮照得见的地方了。

陆美尼带领的人们,见前面荆棘圈里的人有所准备,不觉停住了脚步。陆美尼却没把瓦齐里人当回事,于是走上前来吵闹着,要他们把那些白人交出来。他的部下也跟着嚷着闹着,好像不打一架不过瘾似的。他们满以为自己这边二百人,足以敌得过圈子里的五十来人,他们却低估了瓦齐里人的厉害。

瓦齐里人在圈子里面静静地等待着,他们受过人猿泰山的训练,一点儿也不心浮气躁,非常沉稳,大有沉着应战,稳操胜券的架势。他们养精蓄锐地以静制动,等着敌人送上门来。

琴恩问弗洛兰等人:"他们手里有多少支来复枪?这种武器可是会给我们添麻烦的。"

这次又是克赖斯基抢着说:"别看他们人多,他们之中,会打来复枪的,不过五六个人。"

琴恩对这群白人说:"你们也都武装起来,加到瓦齐里人的队伍里来!你们不要单独离开,等他们攻过来,我们马上开火,要不停地放枪。我知道,西海岸的黑人,最怕白人的来复枪。我和弗洛兰就躲在营地附近的大树后面。"瓦齐里人听惯了琴恩的吩咐,爵士夫人的话在他们心里很有分量,他们都非常顺从她。那个肥肥胖胖的布鲁伯尔,虽然也站在了瓦齐里人的队伍当中,可是他的两条腿,却在不住地打战。

他们这些人的举动,陆美尼借着火光,看得清清楚楚,就连琴恩和弗洛兰躲在大树后面,他也看清楚了。陆美尼他们本来不是准备来打架的,他们是来捉弗洛兰的。他转身对他的部下说:"我看这圈子里只有五十来个人,要把他们都消灭掉,不是什么难事,不过我们的目的不是来打架的,我们是来捉那个白女人回去的。你们不妨就站在这里呐喊,时进时退,只吸引住他们的注意力就行了。我悄悄带五十个人,绕到营地的背后去,去逮那个白女人,你们只管听我的暗号,到时候我会关照你们的。只要逮住了那个白女人,我们不做任何耽搁,马上回村去,我们的村落有坚固的木栅栏,到了自己的村落里,就十分安全了。即使他们追来,我们也容易抵御。"

陆美尼的这个安排,西海岸的黑人们都赞成,因为他们本来就没准备打架,如今既然可以不动武、不流血得到胜利,然后安然地回村子去,大家当然都十分高兴。因此他们就站在原地,叫喊得非常起劲。

陆美尼带着一小拨人,躲躲藏藏地爬到营地的后面,准备去捉弗洛兰。这时,突然从一株不太高的树上,笨拙地爬下一个白大汉来,正好站在两个白种妇女的中间。这人半裸着身体,只围着一张狮皮,闪闪烁烁的篝火光,正好照见他也算得上英俊的身姿。

只听琴恩惊喜地叫起来:"泰山,谢谢上帝!原来是你啊。"

那大汉把食指竖在嘴唇上,发出"嘘嘘"的声音,叫他们肃静,然后并不理睬琴恩,却转身对弗洛兰说:"我要找的是你!"只见他一把把弗洛兰扛在肩上。琴恩被弄得目瞪口呆,完全不明白是怎么一回事,她还没来得及过去拦阻,这个泰山早已跳出了荆棘圈,朝黑暗的丛林中奔去了。

琴恩简直被弄糊涂了,好像受了一个意外的打击,分明是泰山,泰山也不会没听见自己说的话,怎么会不理自己,反而扛上一个过去的女仆跑了呢?她呆愣愣地站在那里。接着她叹了一口气,软瘫瘫地坐在了地上,用双手捂住脸,呜呜咽咽地哭了起来。

陆美尼和他的部下,偷偷钻进荆棘圈里,借着火光,在望着琴恩。由于琴恩捂着脸,看不清面目,所以把琴恩抱起就跑,朝丛林中他们的村落跑去了。

十几分钟之后,那四个白种男人和瓦齐里武士们,看着西海岸的黑人,呼啸着渐渐向丛林中退去,看他们那高声大叫,倒好似打了大胜仗凯旋一样。瓦齐里人被弄得莫名其妙,看这些黑人来势汹汹,原以为要打一仗的,没想到未动一枪一弹,就这样没头没脑地结束了。

克赖斯基抓了抓头皮说:"这群人忽而来,忽而又跑了,真不明白他们是干什么。咱们快找找,看夫人和弗洛兰在哪里。"

这时候,他们才发现,两个女人都不见了。

瓦齐里武士们都急得跳起来,他们到处高呼着:"夫人!夫人!"可一直听不到回答。乌色拉急了,高叫道:"我们瓦齐里武士集合到一块儿来,就是拼死也要把夫人找回来。"说着,他们就跳出荆棘圈,去追西海岸那些黑人去了。

瓦齐里武士比那些黑人跑得快,不大一会儿,就望见他们的踪迹了。陆美尼手下那些黑人十分害怕,只向村落的方向逃去。瓦齐里武士高声呼喊着在后面追逐,吓得那些西海岸的黑人把来复枪和长矛都丢了,以跑得快些。陆美尼和他带的一小队人,跑在最前面,已经进到木栅栏里面了。他们等自己的人进完了,把木栅栏牢牢地关上,无论如何也不让瓦齐里人冲进来。因为他们知道瓦齐里武士只要一进来,自己的队伍远不是他们的对手,整个村落会寸草不留的。他们不但关上了栅栏门,还上了锁,这木栅栏建得很高,很牢固,易守难攻,这给外面的瓦齐里武士,造成了很大的困难。

乌色拉见这样闹下去不一定会成功,便吩咐武士们暂时退下来,站在离栅栏不远的地方,看看动静再说。大家望着栅栏门,乌色拉想引诱敌人出来,这样比强攻省人力。他对部下们说:"我们今天的目的,只是为找到夫人,没有必要把这群黑人杀光。"

有一个瓦齐里武士说:"我们只管攻,可是我们并不知道女主人是不是在这个村落里呢!"

乌色拉说:"这群黑人跑了之后,女主人就不见了,你们说,她能在哪儿呢?她一定在这个村子里。"他想了想又说,"不错,你说的也有点道理,不如我先去探查一下。我有一个计划,你们看,风是从对面吹过来的,你们十个人跟我来,其余的人留在栅栏门外,高声喊叫,装出要进攻的样子。说不定过一会儿他们会开门出来,到那时候,我会从里面出来,如果我没出来,你们就分开,排在栅栏门的两边,让他们逃走,不要拦阻他们。只须注意队伍中有没有夫人,如果见了夫人,必须马上把她夺过来。你们听明白了吗?"

他的同伴都点点头说:"好,就按你说的做吧!"乌色拉带了十几个人,向村落的后面走去了。

且说陆美尼,拖了琴恩走到离栅栏不远的一间茅屋里,然后牢牢地把她捆在一根柱子上。在黑暗中他也没看清楚,他满以为这个女人是弗洛兰呢。后来,他急急忙忙地离开了这里,朝村栅栏跑去,以便指挥他的部下,坚守这个村子。

这时屋里只剩下琴恩一个人了,她渐渐整理思路,思索一些问题了。刚才这一切都来得太突兀,变化太快,她几乎没有思考的时间。但唯独有一件事,她怎么也想不明白。自己的丈夫泰山,从来没有这样反常过,当面临围攻的时候,他为什么不救自己,反而扛上一个另外的女人，往丛林中跑去了？她忽而想起乌色拉的话，泰山头部又受过伤，是否由于他记忆力尚未恢复所致？但即使想到这一层，她心里还是十分痛苦的，她低下头来，眼泪不住地往下流。带着极端痛苦的心情，被绑在一间污浊的茅草屋里伤心地哭，她好久都没尝到这种滋味了。

正当琴恩独自愁苦的时候，乌色拉正带着他十几个伙伴，沿着村栅栏，找到一个不太结实处，打开了一个缺口，从缺口外爬进了村子后面。他们在这里发现了几堆枯柴，便把枯柴聚敛到一起，准备放火。

再回来说陆美尼，他跑到村庄栅栏边看了看，似乎没有多大危险，不愿恋战，想溜开自己去享乐一下。于是就命令黑人们守好村门，但要注意一点，如果瓦齐里人改变了战略，赶快来报告他。陆美尼吩咐完了，就匆匆朝囚禁琴恩的茅屋跑去了。

陆美尼是一个黑大汉，由于有一个疤痕，鬓角是歪的，下巴又非常突出，面容是那种又凶恶又丑陋的。他拐进屋来，点着一个火把，凝视着他面前低头哭泣的白种妇人。当他走到她身边，伸手要抚摸她的时候，琴恩抬起头来，他一看竟不是弗洛兰，而是一个完全不认识的白人妇女，他吓了一跳，立刻向后退了一步。

陆美尼仔细看看这白种妇人的脸，惊叫起来："你是谁？"他用西海岸常用的那种半通不通的英语问。

琴恩说："我是格雷斯托克爵士夫人，也就是人猿泰山的妻子。假如你明白道理的话，应该赶快放了我。"

陆美尼开始时露出非常惊疑的样子，但他还是没有打算放琴恩。他端详着她的脸，觉得她比弗洛兰更美，渐渐地，一股兽性，从他心里升腾起来。

陆美尼用他粗大的手，解开了琴恩身上的绑绳，琴恩见这个黑人贼头贼脑的，明显地不怀好意。等他把绳索完全解开时，用最快的速度跳到门口，可是没容她跑出去，一只粗大的手，又把她拦腰抱了回来。她使出平生力气，像一头雌兽一样拼命挣扎，陆美尼把她打倒在地上，把她拖到自己身边，这时候，陆美尼似乎已不顾一切了。村门外瓦齐里人的叫喊，村中也突然起了乱跑声和叫声，他都不顾了。可是琴恩虽然柔弱，但始终让他觉得很不顺手，她又抓又咬，使他感到很难办。

这时，在木栅栏背后，乌色拉已经把火把插入枯柴中，渐渐地，大约已经有六处在起火了。霎那之间，火光熊熊，烈焰腾腾，风借火势，火借风威，不大会儿工夫，村中好几处已经着火了，噼噼啪啪的响声越来越大。到后来，木栅栏也被烧倒了。果然不出乌色拉所料，村里一着火，木栅一倒塌，村里西海岸的黑人乱成一团，纷纷拼命地往外逃，并没有人指挥，不约而同地都往丛林里逃去了。瓦齐里人站在门外两边，留心着人群中有没有他们的女主人，可是，等到村子里的人都走完了，村子里也烧成了一片火海，他们瞪大了眼睛看，但自始至终，连琴恩的影子也没看见。

时间已经过去很久了，这些忠心耿耿的瓦齐里武士，还不死心，还在默默地等着，虽然他们知道，村里已经没有活着的人了。乌色拉最后才说："看来夫人确实不在这里了。现在我们只有去追赶那些黑人，逮住几个人，从他们的嘴里，盘问出夫人的下落。"

他们追了一夜,到天色大亮时,他们才追到走得慢的一群黑人,这些人似乎走不动了,在那里歇脚。瓦齐里人把他们抓住了,告诉他们,乌色拉问他们什么,只要实话实说,就决不难为他们。

乌色拉问他们:"陆美尼现在在什么地方?"这个西海岸黑人头目的名字,他还是在前天晚上,从那几个欧洲白人那儿打听来的。

黑人说:"我们不知道,我们离开村子时就没看见他,在你们围村子时,他指挥过我们一阵,后来就不知他去哪儿了。我们从前原是阿拉伯人的奴隶,后来才被这几个欧洲人雇了,陆美尼对我们很苛刻,甚至比阿拉伯人还狠,我们也不喜欢跟他在一块儿。"

乌色拉又问:"你们可曾看见,村子里有没有一个白种妇女?"

有的黑人说:"我们看见陆美尼拖着一个白种妇女。"

乌色拉问:"他拖走那个白种妇女干什么?你们可知道现在那个白种妇女在哪里?"

黑人说:"不知道。那妇女被带到村里来,被捆绑在一间靠栅栏门不远的茅屋里。此后,我们再没见过她。"

乌色拉看了一下自己的同伴,大家都露出担心恐慌的样子。

乌色拉对那些黑人说:"走,我们都回村子里去,你们也跟我们一块儿走,要是发现你们说谎骗了我们……"说到这里,他用手指在咽喉上按了一下,做了一个用刀子割的动作。

那些黑人异口同声地说:"我们发誓,真的没有说谎。"

他们急急忙忙地往昨晚逃出的村落里赶,可是等他们赶到的时候,一切都被烧光了,什么也没留下。

乌色拉走近冒烟的余烬问:"那个白种妇女可是被绑在这儿的?"

那个黑人说:"是,就在这儿。"说着,他大步走到栅栏门附近的地方,看那里躺着一个烧得焦头烂额的死尸,由于烧得太厉害,已经辨不出面目了。那黑人说:"你们要找的白种妇女,陆美尼就把她绑在这儿的。"

乌色拉和那些瓦齐里武士,都挤上前去看那具尸体,有人说,看尸体的身高,不像是夫人。乌色拉说:"尸体都烧得蜷缩起来了,怎么看得出来?夫人当时是被绑在柱子上的,她怎么跑得了呢?我看这多半是夫人了。"说着,背转身去,不禁掉下泪来。其他的瓦齐里武士,也都非常难过,平时,夫人一向对他们很好,他们也是素来敬爱夫人的。

有一个黑武士说:"我总觉得这不像夫人,说不定是另外的什么人。"

另外一个黑武士说:"这一点很容易弄明白,如果在残灰里,能找到夫人的指环,那就能确认是夫人了。"说着,他就蹲下身去,从灰烬中寻找夫人常戴的指环。

乌色拉失望地摇摇头说:"恐怕这多半是夫人,你们看,这不是捆绑她的柱子吗?"停了一会儿他又说,"即使找不到指环,也不能证明夫人没有遇难,因为陆美尼会把戒指抢走呀!夫人被绑在柱子上,想来,她万难有逃走的可能。"

瓦齐里武士们都肃穆地默立了一会儿,大家挖了一个坑,恭恭敬敬地把残灰捧起,埋了起来。并且在墓前立了一块石头,作为标志。

十八
追踪仇敌

人猿泰山带着金毛狮子扎得巴尔查,朝庄园的方向走去。这一路上,他不停地在回忆着一个星期以来发生的种种事情。他虽然没能得到奥泊城的黄金,可是那一袋价值连城的钻石,远远超过了黄金的价值,得到钻石,是出乎他意料之外的。他现在唯一挂念的,是他带出来的那五十个瓦齐里人的安全,除此之外,他还想找到给他下麻药的白人,应该给他们点惩罚才对。但此时,他赶紧回家的心很切,暂时把寻找欧洲人这件事丢在一边了。

泰山带着狮子,一同猎食,一同睡觉,在丛林里的小道上急速地往家里走去。他们有时分吃鹿肉,有时又分吃野猪肉,他俩在一起走,从来不会饿肚子。

他们走了不止一两天,这一天,眼看着离家大约只有一天的路程了。泰山忽然发现地上有许多武士零乱的脚印,尽管这些脚印是几天之前留下的,但泰山还是能很清楚地看出来,这完全靠他对丛林生活的熟悉。令他奇怪的是,在许多大脚印之中,夹杂着一双精巧的小脚印,一双他所熟悉的、可爱的脚印!

泰山暗自思忖:一定是瓦齐里武士回庄园报告,说我失踪了,所以琴恩和瓦齐里人一起去找我了。想到这儿,他转身对狮子说:"咱们不能回家了,扎得巴尔查,咱们还得回去找她。你懂得吗?她在哪里,哪里才是我的家。"

于是人猿泰山循着脚印又往回走,他觉得琴恩和黑人他们走的路非常奇怪,并不是到奥泊城去的方向,而是偏南走的,他们往南去干什么呢? 走到第六天,泰山忽然听得背后有了脚步声,接着,他就闻到了黑人的气味。他马上吩咐扎得巴尔查藏到草丛中去,自己跳上树,朝着黑人所在的地方走去。越往近处走,黑人的气味越浓了,泰山还没有看见对方,但已能断定前面来的是瓦齐里武士了。但是,人群中却没有琴恩的气味。

乌色拉和他的伙伴们,无精打采地往回走,在小路拐弯的地方,正好和泰山面对面碰到。乌色拉又惊又喜,一时竟说不出话来了,过了好一会儿,他才说:"大宛那! 真的是你吗?"

泰山说:"当然是我,我问你们,夫人在哪里?"

乌色拉带着哭声喊道:"唉,主人! 叫我怎么告诉你呀!"

泰山急得语无伦次地说:"难道你是说……不! 不! 这是不可能的! 没有任何东西能够伤害得了她,因为她是跟你们在一起的,我的瓦齐里武士是足以保护得了她的呀!"

武士们听了这话,都低下了头,露出十分惭愧的神色。乌色拉神情悲戚地说:"我们只有给夫人抵命了!"说着,他丢下盾牌和长矛,张开双臂,挺着胸膛,走近泰山,"主人,任凭你怎么惩罚,我都接受。"

泰山转过身去,低下了头。好一会儿,才转过身来,对乌色拉说:"告诉我,到底出了什么事? 别说那些昏话了,放开胆子,实话实说。"

乌色拉把琴恩带着他们出来之后的事，从头至尾都对泰山说了一遍。

泰山听完问道："现在陆美尼在哪里？"

乌色拉说："不知道，我们也没找到他。"

泰山说："好，我都知道了。你们先回去吧！我的孩子们，回到庄园去，看看你们的妻子和孩子。等你们再见到人猿泰山的时候，你们就可以知道，陆美尼一定死了。而且今年的这个季节，你们应该留在家里，因为庄园里畜牧和耕种的事，已经荒废得太久了。回去吧！见到杰克，替我告诉他，叫他也留在家里，不要出去。如果我失败了，他可以去完成我没完成的事，我想，他会愿意这样做的。"

说完，泰山转身又回到他原来的路上，发出一声长啸，金毛狮子便从丰茂的草丛中跳了出来。

乌色拉远远地看见了狮子，高兴地叫起来："金毛狮子，它从家里逃了出去，原来也是找大宛那去了呀！"

泰山点点头说："是的，你们还不知道，它走了很远的路，到另外一个国度，才把我找到。多亏它来了呀！"

泰山便和瓦齐里武士们说了"再见"，然后带着狮子，找陆美尼复仇去了。

这一天早上，皮勃勒斯坐在一株大树上，睁开惺忪的睡眼，抬起脸来，迎着晨曦。瑟洛克在他的旁边，也坐在一根大树枝上。只有克赖斯基独出新裁，用一根树枝，放在两根平行的树枝之间，这样可以躺得更舒服些。布鲁伯尔最胆小，爬得最高，在与他们相距十尺的一根小树枝上，摇摇晃晃。

皮勃勒斯自言自语地说："上帝啊，情愿让狮子来吃了我，我实在不想这样提心吊胆地挨过一夜又一夜了！"

瑟洛克没好气地说："混账东西！你好好地睡在那儿，乱说什么狮子不狮子！"

克赖斯基阴阳怪气地说："人要能齐心，黄土变成金，可惜就是办不到。你们三个如果能合作，昨天夜里，咱们就可以平平安安地睡在地上了。"

皮勃勒斯说："嗨，布鲁伯尔，克赖斯基先生在和你说话呢，你没听见吗？"他把"先生"两个字故意说得特别重。

布鲁伯尔含含糊糊地说："我现在谁的话也不想听。"

皮勃勒斯又说："他要我们盖起一所房子来，好让他晚上有地方睡觉。至于他自己嘛，只是动动嘴，吩咐我们干活，然后他去东逛逛西逛逛。他是位文质彬彬的大人先生，是不应该干粗活的。"

克赖斯基说："凭什么要我去做工？不是有你们两个大笨蛋在吗？如果没有我，你们连吃的东西都找不到，就只有饿死的份儿，假如你们不听我的话，早晚得让狮子当点心吃了。"

另外的人只是听着，谁也没理他们，他们两个你一言我一语地在那儿斗嘴，有好一阵时间，别人在说什么，他们俩根本没听见。除了皮勃勒斯和瑟洛克之外，他们中间都是彼此仇视的，只不过为了求得平安，才勉强聚在一起。

这时皮勃勒斯慢慢地溜到地上，瑟洛克也跟着他从树上下来，接着，第三个下来的就是克赖斯基。布鲁伯尔最后才从树上下来,在地上站了好一会儿,看了看自己不体面的衣服说:"上帝啊!看看我这套衣服,是花了二十个基尼买来的。哟,看看,破了,破了,连一个便士也不值了。"

克赖斯基说:"你只惦记你那身衣服,怎不想想咱们已经迷了路,随时都有饿死的可能,也许会被野兽吃了。弗洛兰在林子里失踪了。这些事实,咱们大家都知道,好像你就一点也不往心里去。竟还念念不忘你二十基尼买的那套宝贝衣服,真令我讨厌。布鲁伯尔,别唠叨了,我看咱们还是走吧。"

瑟洛克问:"咱们该往哪儿走呢?"

克赖斯基说:"自然是往西海岸走,除了西海岸,我们再没有别的地方可以指望了。"

皮勃勒斯说:"我们不能往东走吗?"

克赖斯基反问说:"那怎么可以?那样不是越走越远了吗?"

皮勃勒斯说:"昨天咱们糊里糊涂往东走了一天,我有好几次都觉得是走错了,到现在才算明白过来。"

他们争论了好一阵,几乎被这个问题给搅昏了,到最后好容易才弄明白,太阳是从东方升起来的,朝相反的方向走,才是往西。

这四个白人,饿着肚子,脚底下软弱无力,在丛林里慢慢地往前蹭,走了好长的时间,仍不见有什么猎物。他们没有在丛林里生活的本领,当然只有挨饿。在这种地方也许会碰上吃人的野兽,或是蛮荒中的黑人武士,在这种情况下,文明社会的人,完全没有应付的能力,很有可能遇到各种危险。说不定伤害他们的东西,正尾随在他们身后,即使是这样,他们也会毫无察觉。

这天下午,他们正横穿过一块空地,突然,空中嗖的一声飞来一支箭,显然是向他们射来的,差一点儿射在布鲁伯尔的头上,布鲁伯尔吓了一大跳,大叫一声之后,立刻瘫倒在地上了。克赖斯基急忙从肩上取下来复枪,他环顾了一下,大声叫道:"在这里呢!在树丛的后面。"紧接着,第二支箭又从另外一个方向飞来了,正从他的胳膊旁边掠过。皮勃勒斯和瑟洛克长得又胖又笨,没有克赖斯基动作灵巧,但这时倒还没像布鲁伯尔那样慌张失措。克赖斯基首先卧倒在地上了,然后大喊一声:"卧倒!"

那三个人刚卧倒在草丛中,就从空地那边跑过来二十多个黑人,箭像一阵雨一样,一齐向卧倒的人们射来。这时在附近的树上,有一双敏锐的灰色的眼睛,正在盯视着草丛中的人。布鲁伯尔把枪扔了,趴在地上,一动都不敢动。但克赖斯基、皮勃勒斯和瑟洛克三个人,还没吓糊涂,还在为争取生存而挣扎,从地上爬起来,向黑人们冲去。

克赖斯基和皮勃勒斯,都各用来复枪打倒了一个黑人,然后,那些黑人就退到林中安全地带去了,没有多少时候,战事就停止了,林中又归于寂静。接着,从附近的一株树上,枝叶浓密处,传来一声长啸,在寂静的林中,这声音显得特别可怕。

忽然,从树上传来一句英语:"不许开枪,这样,我可以饶恕你们。"

布鲁伯尔抬起头来叫道:"我们都不开枪,救命啊,救命啊!饶了我,我给你五个金镑。"

树上的人没有答话,却又传来一声长啸,接着又沉寂下来。

那些黑人,似乎也被啸声震慑住了,停止了动作。但是,没过多长时间,见没有别的动静,就又跳了出来,对着草丛里的人,又放了一阵箭。

这时,有一个白人大汉,从树上跳了下来,众人一看,在他身后还跟着一头硕大的金毛雄狮。

"啊！天哪！这下我完了！"布鲁伯尔用双手掩住脸,没命地叫道。

那些黑人也吓呆了,接着,他们的领队人喊道:"这是泰山！"大家听了这句话,都转身逃入林中去了。

泰山高声说道:"不错,我是泰山,人猿泰山！这是我的金毛狮子扎得巴尔查。"这些话,他是用土著黑人的话说的,那四个白人听不懂,泰山又转身对那四个白人说,"黑人都走了,你们快起来吧。"

那四个人都站了起来。泰山问他们:"你们是什么人？在这里干什么？"他在他们的脸上凝视了一会儿,又说,"噢,是的,我见过你们,我曾经到过你们的营地,就是你们,用加了麻药的咖啡,把我麻醉过去,打算拿我喂了野兽。我说得不错吧？"

布鲁伯尔走上前来,强挤出一脸笑容说:"啊,泰山先生,前一次我们没认出是你,假如当时我们知道你就是人猿泰山,我们决不会那么做的。救救我吧,我可以给你十个金镑！二十个基尼！随便你要什么,我都可以给你。救救我吧！只要你救了我,多大代价我都给你。"

泰山根本没有理睬这个犹太人,对另外的三个人说:"我要找你们队伍中的一个人,是一个黑人,叫陆美尼,他杀了我的妻子。现在他在哪里？"

克赖斯基说:"我们不知道。陆美尼也让我们上了当,就是他,把我们丢在这里不管了。那时候,你的夫人和另一个白种妇女,都在同一个营地里。连我们也不知道她们俩现在在哪里。我们的黑人脚夫和阿拉伯奴隶开战的时候,她们俩都躲在树后,你夫人领着的瓦齐里人当时也在。等到敌人退了的时候,我们才发现两个妇女都失踪了。我们也不知道她们现在怎么样了,这不,我们也在找她们呢。"

泰山冷静地听完,说:"这些经过,我的瓦齐里武士早就告诉过我了。但是以后,你们又见没见过陆美尼呢?"

克赖斯基说:"我们真的没再见过他。"

泰山又问他们:"那么,你们在这里干什么呢?"

克赖斯基说:"我们和布鲁伯尔先生等几个人,是到非洲来搜集科学研究的标本的,谁知我们雇的一些人作乱,把我们丢在这里了。你看到的,我们孤立无援,刚才还有一股土著黑人在袭击我们。"

布鲁伯尔这时又叫起来:"哎哟,你救救我们吧,救救我们吧。你那头金毛狮子也让我胆战心惊,你千万要把它看好啊。"

泰山说:"你放心吧。没有我的吩咐,它是不会伤害你的。"

泰山接着又问他们:"你们现在打算到哪里去?"

克赖斯基回答:"我们要到西海岸去,从那里直接回伦敦。"

泰山说:"那么就跟我走吧,或许我可以帮助你们。虽然你们害过我,不值得我帮忙,可是我不能看着同种白人,白白在丛林里丧命。"

于是他们跟着泰山往西走,这一天晚上,他们在一片丛林附近的河边,搭起帐篷宿夜。那四个欧洲人,见金毛狮子也和他们住在一起,坐卧不宁,甚至这一夜都不敢躺下睡,尤其是布鲁伯尔,害怕的程度比其他人更甚。

这一晚的晚饭,他们可是沾了泰山的光,围着火堆,吃了一个大饱。克赖斯基提议在帐篷周围筑一道防御工事,以免受到野兽侵害,泰山说:"完全没有这个必要,我的扎得巴尔查在,它能够保护你们。它就睡在我身边,咱们听不见的声音,它都能听见。"

布鲁伯尔全身打战地说:"上帝啊!我情愿出十个金镑,换一夜安稳觉睡。"

泰山回答说:"你不用花钱,有扎得巴尔查跟我们在一起,保证没有任何东西来打扰你的好梦。"

布鲁伯尔哆哆嗦嗦地说:"那么,好吧!我们就互道晚安吧!"他爬得离泰山和狮子远远的,蜷作一团睡了。瑟洛克和皮勃勒斯也接着睡了下去,克赖斯基是最后一个睡的。

克赖斯基并没有马上睡着,他半闭着眼睛,观察着泰山和狮子。忽然看见泰山爬了起来,向附近的树边走去,他估计泰山可能是要去方便一下。当泰山走到半路时,克赖斯基看见有一件什么东西,从泰山围着的狮皮中掉了出来,好像是个有点分量的小袋子。克赖斯基对此十分留心,他不再打算睡觉,有意地观察着。他一动不动地看着泰山,盼着他和狮子快点睡着。

金毛狮子卧在泰山身边,过了很长时间,克赖斯基试探了几次,当他知道泰山和狮子确实睡熟了,他爬上一步去,急忙抓住那个皮革袋子,一把塞进自己的内衣里。然后再轻轻爬回自己原来的位置,用手臂枕着头,装着已经睡熟了的样子,不时用左手偷偷摸摸那个袋子。

克赖斯基心里暗想:这一包可能是水晶,英国爵士们很喜欢拿这种颗粒当装饰物,人猿泰山这个像野兽一样的东西,根本不配坐在贵族院里。

克赖斯基被好奇心所驱使,到底忍不住了,他轻轻把袋子掏出来,小心地托着袋子底,倒了一些出来,放在手掌上细看,惊喜得差一点叫出声来:天啊,都是钻石啊!

他索性都倒了出来,看了看,确实满袋子都是钻石,足足有五磅重,晶莹璀璨,他眼睛里放出了贪婪的光。他想:我的上帝啊!这一袋子得值多少钱啊,价格之高昂,简直把他吓住了。

若不是怕惊醒别人,他几乎想高叫起来:"我发财了呀,我发财了。古代最富有的克罗伊斯国王(公元六世纪小亚细亚吕底亚国极富有的国王),我的财富几乎可以和他等量齐观了!"

他马上清醒过来了,赶紧把钻石又藏入袋中,不住地用眼睛看着泰山和狮子,知道他们确实没有醒,才把袋子藏好,安心地躺在那里。

最后,克赖斯基默默地祷告着:"上帝啊!请你保佑我,明天,再不要像今晚这样提心吊胆了!"

第二天早晨,泰山并没有发觉他自己丢了东西,仍旧和四个伦敦客人一块儿走,走到了一个村子里。这个村子四面有木栅栏,中间有茅屋,布置得井井有条。村子里的人恭敬而且隆重地迎接着泰山,村长和武士们见了泰山,都诚惶诚恐,那四个白人看泰山在非洲竟有这样的威望,也不觉有点吃惊。

宾主行过礼之后,泰山才向那四个欧洲人招招手,指着他们对黑人村长说:"这四位都是我的朋友,他们要到西海岸去,请你们派一些武士,护送他们去。一路上要供给他们食物,保护他们安全。我人猿泰山就把这件事拜托给你们了。"

那黑人村长说:"我们尊敬的人猿泰山,大宛那,丛林之王。您需要我们做什么,只管吩咐就是了,我们一定遵命办好。"

泰山说:"好,那就请你们好好招待他们,保护他们。我还有别的事要做,恕不奉陪了。"

村长说:"宛那放心吧。我保证不让他们受饿,一定平平安安地把他们送到西海岸。"

泰山对那四个欧洲人既不说"再见",也不打招呼,四个欧洲人目送着泰山走出村子,金毛狮子扎得巴尔查紧跟在泰山身后。

十九
自相残杀

泰山把四个伦敦客人送到村寨的那一夜,克赖斯基一直没有合眼,他想:泰山迟早会发现钻石丢了,到那时他一定会回来,找四个伦敦客人报仇的。所以在天还没十分亮的时候,克赖斯基就从草垫子上坐了起来,趁众人还没有醒,就偷偷跑出了村子。他自言自语地说:"天啊,我一个人到西海岸去,必然是危险的,不如有土著黑人护送那样十拿九稳,我一个人走,说不定会遇到什么事送了命,可是,有了这个,"他摸了摸内衣里的那包钻石,"为了它,是值得冒险的,哪怕牺牲了性命。这可是敌国之富啊,我的上帝!只要有了它,我在伦敦、巴黎、纽约,什么事做不到呢?"

这个俄国人慌不择路地走出村去,一会儿就隐没在丛林里了,从此他离开了他的朋友们,这一辈子都不打算再跟他们见面了。

这天天亮之后,布鲁伯尔第一个发现克赖斯基失踪了。他虽然和克赖斯基平时关系并不好,可还是觉得很奇怪,就把此事告诉了瑟洛克和皮勃勒斯。他问皮勃勒斯:"今天早晨你看见过克赖斯基吗?"这时候,村里黑人给他们送了早餐来,是一盘淡而无味的熟肉,于是他们就吃起来。

皮勃勒斯边吃边说:"我没看见他,谁知他是不是还在睡懒觉没有起来?"

布鲁伯尔说:"不对,他不在茅屋里,我醒来时,他已经不在那儿了。"

瑟洛克边嚼着食物边说:"不用担心他,他出不了什么事儿的,他那个人,可会当心他自己了,这个时候,他不定跟哪个女人鬼混呢!"他说这些话时,显得很得意,似乎在夸耀他最了解克赖斯基的弱点。

他们吃完早餐之后,打算找个村里的黑武士聊聊天,以便打听一下村长准备什么时候送他们到西海岸去。一直到这时候,他们仍没有见到克赖斯基。布鲁伯尔对这件事,倒显得特别关心,但这并不是出于他对克赖斯基的友谊,更确切地说,他是关心自己的安全,他怕自己也像克赖斯基一样,说不定什么时候,就在村里无缘无故地失踪了,他疑心克赖斯基是在村里遇到不测了。他把他这个猜想偷偷告诉了另外的两个人,他们也觉得布鲁伯尔的猜想不无道理,不觉都担心起来,三个人商量了一下,认为应该把这件事告诉村长。

他们用英语夹杂着土著语和手势,费了九牛二虎之力,好不容易才把克赖斯基失踪的消息,告诉了村长,同时,他们也想问问村长,知不知道克赖斯基的下落。

村长听了这个消息,也跟他们一样,惊疑不定。于是他下命令,在全村进行检查。检查的结果,村子里任何地方都没有克赖斯基,只发现了他的脚印,从村子里向丛林中奔去了。

布鲁伯尔说:"上帝啊,难道他疯了吗?他深更半夜,一个人跑到丛林里去干什么?"

瑟洛克也忍不住喊道:"真的,不知他这是怎么了?"

皮勃勒斯问他的两个伙伴说:"你们俩检查一下,看丢什么东西没有?也许他偷了东西跑了。"

布鲁伯尔说:"到如今,我还有什么东西可让他偷的?我的来复枪,还有子弹,都在这儿,他没拿我什么东西去。我什么值钱的东西也没有了,除了我那套二十基尼买来的衣服。"

皮勃勒斯说:"他既然没偷东西,又为什么这样鬼鬼祟祟呢?"

瑟洛克说:"也许他患梦游症,在睡梦中跑走了的。"他们三个人对克赖斯基失踪的原因猜了半天,除了这个解释之外,再也找不出来别的理由。

一个小时之后,村长派了一队武士,护送着他们,向西海岸的方向进发了。

克赖斯基背着来复枪,独自一个人在丛林中奔走着,在他的右手里还握着一支手枪。他不时地向后看看,唯恐有人追来,另一方面还要提防着周围,看有没有什么危险。一个人在天不十分亮的时候走在林子里,心里越来越觉得害怕。在他觉得,多往前走一里路,那钻石的价值也在跟着往下跌落,他知道,要想不经过若干次的危险,是没有希望到达西海岸的。

他正往前走着,忽然一个蠕动着的东西把他吓了一大跳,定睛一看,原来是一条蛇,正从低树枝上爬过路的另一边去,正好挡住了他的去路。他想了想,不敢向蛇开枪,怕枪声把追兵引来,找到自己的下落。他没有别的更好的办法可想,只好从路边的草上爬过去。这样一来,他的衣服被弄得更破了,连皮肉都被荆棘刺得鲜血淋漓。他真的感到十分疲乏了,全身被汗湿透了,衣服也湿漉漉地贴在身上,并且蚂蚁也爬了满身。蚂蚁在不停地咬他,把他咬得又痒又疼。他跑到一块空地上,拼命地把衣服扯下来,可是蚂蚁太多了,怎么也拍打不掉,他只好把衣服扔了。只有那来复枪、子弹和装钻石的袋子,不能扔掉。想法把蚂蚁弄掉,提着往前走。

他赤裸着身体,在林子里拼命地走着,体力终于不支了,最后倒在了林中的路上。这时候他才觉得自己做了一件蠢事,独自一个人走到西海岸去,是根本没有希望的,这时他才想到,如果连命都丢了,要这一袋子钻石还有何用!

这一晚上,克赖斯基又冷又饿,爬上树去,睡在树杈上,听着黑暗中野兽的咆哮声,吓得全身发抖,总觉着有什么可怕的东西向自己逼近了。越是害怕,夜越显得长,好容易盼到天亮,才又挣扎着继续向西走去。

克赖斯基在恐怖、饥饿、疲惫的交迫之下,几乎要昏厥过去了,又勉强往前走了一个钟头,觉得实在支撑不住了。他自从背离了他的同伴逃出来之后,已经有三十六个小时没吃过一点东西了。

克赖斯基就这样走一阵歇一阵,到了中午,他忽然听到就在附近,有人类谈话的声音。他站定了仔细听听,听出谈话的人分明是欧洲人,不是当地土著人的语言。克赖斯基悄悄地爬过去,看见前面有一小块空地,在一条小河旁边,稀疏的树木之间,有一间小小的茅草房,说话的声音就是从那里发出来的。他又仔细地听了一会儿,听出谈话的是一男一女,像是在那里争吵。后来,他终于听出来了,那男的是埃斯特本,女的是弗洛兰。他惊奇地睁大了眼睛,原先不都以为这两个人已经死了吗?但是从茅屋里发出来的,分明是这两个人的声音啊,一点都不错。

克赖斯基忘记了对埃斯特本的仇恨,照直向那间茅屋走去,但他忽然想起了自己是赤身裸体的,不能这个样子去见弗洛兰!向周围一看,没有别的东西可以蔽体,只好拔了一些长得很高的草,编了一条草裙围在腰里,然后向屋子走去。他怕他们认不出自己,把自己当作仇敌而动武,于是一边走着,一边叫着埃斯特本的名字。埃斯特本听到声音,走出茅屋来,弗洛兰也跟着出来了,克赖斯基如果不是听出埃斯特本的声音,猛地一眼望去,他一定会以为这是人猿泰山,他们两个人长得真像呢!

从屋里出来的两个人,呆呆地站在那里,一时没认出来人是谁。克赖斯基最先开口说:"怎么,你们都不认识我了吗,我是克赖斯基呀。弗洛兰,难道你也认不出我了?"

弗洛兰叫道:"啊,你是克赖斯基。"说着,就往克赖斯基这边跑,但没跑出两步,就被埃斯特本拦腰抱住,拖了回去。

埃斯特本厉声问道:"克赖斯基,你到这里来干什么?"

克赖斯基说:"我要到西海岸去,现在又饿又渴,都快要死了。"

埃斯特本往西指了指说:"往海岸去的路在那边呢,克赖斯基,你继续走吧。住在这种小茅草房里,不合你的身份。"

克赖斯基嚷着说:"难道你要看着我又饿又渴,死在半路上吗?"

埃斯特本指了指小河说:"瞧,那儿不是有水吗?丛林里面到处都有猎物,你不是一向夸口你最擅长打猎吗?今天怎么落得这副熊样子了?"

弗洛兰说:"埃斯特本,你不能这样对待他,你不能见死不救呀！我真想不到你会这么残忍,咱们毕竟是一块儿出来的呀！"说着,她向克赖斯基走来,叫着说:"啊,克赖斯基,你千万别走,我也正指望有一个人来救救我呢,你来救救我吧,让我脱离这个畜生。"

克赖斯基说:"那么,你站到这边来。"于是弗洛兰便从埃斯特本的怀抱中挣脱出来。克赖斯基就用手枪瞄准着埃斯特本,扳动了枪机,没想到子弹卡了壳,没有射出来。埃斯特本这些天把长矛的用法练得比较熟了,还没容克赖斯基去拿来复枪,胸前早已挨了一矛尖,悄无声息地倒在地上死了。原先,弗洛兰对他们两个都有好感,现在看到埃斯特本用这么残酷的手段杀死了克赖斯基,她不觉跪倒在克赖斯基身边,大哭起来。

埃斯特本见克赖斯基已死,就从他身上抽回长矛来。他正从克赖斯基身上去卸枪,忽然从他尸体上发现了一个皮革口袋。埃斯特本以为是装子弹的,当时也没有细看,就连同武器,一齐搬到茅屋中去了。弗洛兰也被埃斯特本拖进屋里,伏在屋角里,不停地哭泣,口中还叫着:"可怜的克赖斯基呀,你死得太惨了。"她又转过脸来骂埃斯特本,"你这野兽！"

埃斯特本得意地笑着说:"不错,我是野兽,我是人猿泰山！那个一身臭汗味儿的俄国人,胆敢叫我埃斯特本,所以他该死。我是泰山,我是人猿泰山！"接着,他发狂一般地叫起来,"谁敢不称呼我泰山,我就叫他死！我要让所有敢冒犯我的人,尝尝人猿泰山的厉害！"

弗洛兰惊恐地睁大了眼睛看着他,全身颤抖着,低声自语道:"疯了,疯了,他真是疯了！上帝啊,请你可怜可怜我吧,我一个孤身弱女子,竟和一个疯子在一个荒无人烟的林子里呢。"

埃斯特本神经的确有点不正常了，开始时他是作为一个演员，努力在模仿一个角色，现在他真的进入角色了，他现在的感觉是，演员和角色已经融为一体了，达到了忘我的地步，因此他感觉他真的就是泰山了。从外表上看来，他确实很像泰山，即使是泰山的好朋友，猛然见了也会被他骗过，可是他的思想，他的性格，却永远不会像泰山，他有一副禽兽的心肠和卑鄙小人的头脑。

埃斯特本现在还处于发神经的状态，他大叫着说："这个死在我矛尖下的家伙，居然敢抢泰山心爱的人。我人猿泰山，是丛林之王！你看结果怎么样，我轻轻一矛，就要了这个东西的狗命。你这个女人，是不是也有点不知好歹？有人猿泰山爱你，你为什么还要对这个死鬼恋恋不舍呢？"

弗洛兰也被激怒了，喊叫着说："我恨你！你简直禽兽不如！"

埃斯特本说："你现在是我的，我决不允许你再爱别人，如果你敢违抗我，你看到克赖斯基了吗？我也会轻而易举地杀了你。等一等，让我先去看看那俄国人袋子里的子弹，那袋子不轻，也许足够我杀一营人呢！"说着，他走进屋里，打开袋子，把袋子里的东西都倒在地上，顿时，整个茅屋里都发出了夺目的光彩，埃斯特本惊喜得忘乎所以，大叫道："天哪，这都是钻石呢！"

这时弗洛兰也走进来了，她低声说："怕有好几千颗呢，不知他是从哪儿弄来的？"

埃斯特本说："谁知他是从哪儿弄来的，不管他是打哪儿弄来的，反正现在这些都是我的了，全都是我的了！弗洛兰，你知道吗？我发了横财了。如果你是一个好女人，你就应该和我一同享受。"

弗洛兰的眼睛,这时又眯成了一条线,她的贪婪之心也顿时被这堆钻石勾引起来了,嫌恶埃斯特本的想法,在她心里像火一样地燃烧着。她见埃斯特本有了这么多钻石,打算等他睡着了的时候,把他杀死。从前她不敢一个人在林子里走路,现在有了这么多钻石,她胆子也壮了起来,这么大一笔财富,还有什么她豁不出去的呢?

且说泰山循着西海岸的黑人和阿拉伯奴隶逃亡的踪迹,在丛林中向前追去,遇见人就打听陆美尼的去向。黑人见到泰山,都毕恭毕敬,不敢得罪他。但是人人回答泰山的都是同样的话,都说自从那晚打了仗,焚烧了村子之后,谁都再没见过陆美尼,大家猜想他一定是和另外的人一起逃走了。

泰山的心里充满了忧虑和焦急,一心想找到陆美尼,然后才能知道琴恩的下落,目前,这是他心里的头等大事,此外,什么事都引不起他的注意。正因为如此,他一直也没发现他的钻石袋子已经丢失了。其实,他早已忘记那袋钻石的事了,后来偶然想起,才发现已经不在身边,但是什么时候丢掉的,怎样丢掉的,他都记不起来了。他只是满腔怒气地对扎得巴尔查说:"一定是那群浑蛋欧洲人偷去的。"这时,他额角上的伤疤,又涨成了红色。他对金毛狮子说:"走,我们快走。既要找陆美尼,也要找那群浑蛋。"

皮勃勒斯、瑟洛克和布鲁伯尔,在黑人的护送下,向西海岸走去,没走多远,在中午休息的时候,就被泰山追上了,泰山的旁边,还跟着金毛狮子扎得巴尔查。

泰山见了他们,并没跟他们打招呼,只是走到他们面前,两手抄在胸前，静静地站着，冷眼看着他们。布鲁伯尔是经不住吓的，他不知泰山此来要干什么，虽然他没干亏心事，却还是吓得直发抖。其他两个英国人，也不知出了什么事，两只眼睛直直地看着泰山。他们小心翼翼地问泰山："泰山先生，你回来有什么事？难道出了什么岔子吗？或者，我们什么地方得罪了你吗？"

泰山说："我是来要回那袋石子的，你们之中有人拿走的。"

那三个人你看看我，我看看你，谁也不知道是怎么回事。

布鲁伯尔声音非常轻地说："我不明白你的意思，泰山先生。"他一边说，一边搓着两只手，在字斟句酌，"我断定你是误会了，或许……"这时，他对皮勃勒斯和瑟洛克那边偷偷瞧了一眼。

皮勃勒斯说："我不知道什么装石子的袋子，但我认为，你最不能相信的，就是犹太人，因为他们最贪财。"

泰山冷冷地说："你们三个人我都不能相信。限你们五分钟，交出那袋石子来，否则，可别怪我不客气，我要搜查！"

布鲁伯尔叫道："好呀，请先搜我，搜完之后，我就洗脱嫌疑了。泰山先生，我有天大的胆子，也不敢拿你的东西呀！"

瑟洛克非常冷静地说："我看这其中一定有误会，我什么也没有拿，我相信他们两个也不会拿的。"

泰山问："前一次你们是四个人，还有一个人到哪里去了？"

瑟洛克说："的确还有一个人，叫克赖斯基，就在你领我们到这个村的那天晚上，就突然失踪了。从那天之后，我们再没有人看见过他。啊，现在我明白了，明白他为什么突然逃走了，一定是他偷了那袋石子。我们也曾经猜想他偷了东西，所以逃走，可是我们三个人，谁也没丢东西。"

皮勃勒斯说:"这就对了,一定是他偷的。"

布鲁伯尔也同意大家的看法。

泰山说:"但是,对不起,我既然来了,我还是要把你们搜查一次。"这时,恰巧村长也来了,泰山把这个意思也告诉了他,三个欧洲人立刻脱下衣服来,让泰山搜查,泰山搜查得很细,结果一无所获。

泰山一声不响,并没有道歉,就又回到丛林里去了。只一会儿工夫,泰山和他的金毛狮子,就消失在丛林的苍翠之中了。

瑟洛克等泰山走了之后说:"他那么大老远地跑回来,找一包石子干什么?我看他恐怕别有用意,他是不是在声东击西?我只是猜不透他的真正目的。"布鲁伯尔说:"什么声东击西,别有用意,你们懂得什么!欧洲只有一种东西,他们管它叫'石子',那就是钻石,克赖斯基一定偷了他的钻石了。"

两个英国人一听,眼睛都瞪大了。皮勃勒斯说:"这该死的俄国佬,他自己偷到了一大笔财富,却让我们替他背贼皮!"

瑟洛克说:"你们别以为自己就完全脱掉干系了,如果人猿泰山找到了克赖斯基和钻石,我们还会有苦头可吃的,因为咱们没法让泰山相信,咱们不是克赖斯基的同谋呀,你怎么敢保险克赖斯基不会反咬一口?俗话说,贼咬一口,入骨三分哪。"

皮勃勒斯说:"我倒希望泰山能找到那个狗娘养的,咱们没跟他一起逃走,这总能说明点问题。"

没过多少时间,他们忽然看见泰山又回来了,吓得他们不知往哪儿躲好。但泰山并没理睬他们三个白人,只跟黑人头目说了几句话,就又走了。

泰山怕三个白人说的不是实话，就又问了黑人头目，从黑人口中证实了真实情况，就又向那四个白人耽搁过的村里走去，他估计克赖斯基逃走可能经过那里。他让金毛狮子慢慢在后面走，他自己跳上树去，从树上可以飞奔得更快些。从空中走，几乎可以走直线的，中间没有什么障碍。

泰山走到那个村子的栅栏门外，果然找到了克赖斯基的脚印，虽然已经有点模糊，可是泰山还是能看得清清楚楚。他急忙跟着克赖斯基的脚印，往西追去，到了太阳落山的时候，泰山追到了丛林的边上，在河流旁的空地上，有一间小屋，四周还有荆棘围着。

泰山站在那里，侧耳静静地听着，又向空气中闻了闻，然后放开脚步，向那间茅屋走去。他一眼看见，在屋外的草地上，倒着一具白人的尸体，过去辨认了一下他的脸，认出就是逃走的那个白人。他在尸体上搜查了一遍，什么也没找着。他分析了一下，断定钻石是被杀死此人的凶手拿去了。

泰山又查看了屋里和屋外，并没见有人，地上却有一男一女的脚印。泰山细看那男人的脚印，觉得自己是见过的，就是最早发现的在丛林中杀死大猿和鹿的那个男人。但这女人是谁呢？看脚印不像是琴恩，因为脚的大小肥瘦都不一样。看得出来，她没有穿鞋子，脚上只是用布条裹着的。

泰山又顺着这男女两人的脚印追去，从茅屋追进丛林里。看这一路上的情形，那女人走得慢，赶不上那男人，有时甚至远远地落在后面。泰山从脚印上看出，那女人走走停停，似乎十分疲惫，但那男人并没有等她，在很多地方，那男人都走在女人前面。

泰山观察得并不错,埃斯特本确实走在弗洛兰之前,因为弗洛兰的脚已经磨破了,在流着血,她确实走不动了。

一路上,弗洛兰不断地在央告埃斯特本:"埃斯特本,等等我,别扔下我不管,别让我孤零零的一个女子,留在这可怕的丛林中。"

埃斯特本非常神气地说:"要跟我一起走吗?那你就得快一点啊!你以为我会等着你,让你来分享我这一大笔财产吗?我才不呢!我要尽快赶到西海岸去。你能跟上我,是你的福气,若是跟不上,那可就活该了!"

弗洛兰说:"即使我不分享你的财产,你也不能把我丢在这荒野里。埃斯特本,你已经强迫我顺从了你,你就不能这样人面兽心呀。"

埃斯特本笑着说:"你与我有什么相干。对于我来说,你只不过是一只旧手套罢了。他拍了拍袋里的钻石说:"有了这个,我可以在世界所有的大都市里,买各式各样的新手套,那可都是崭新的呀!"他说着这些俏皮话,得意地笑着。

弗洛兰声嘶力竭地喊着:"埃斯特本,回来呀,回来!我实在走不动了,别丢下我,把我丢在这儿,我只有一死,你不能见死不救呀!"

埃斯特本回头对她笑了笑,在小径上转了一个弯,便不见了。弗洛兰十分绝望,筋疲力尽地倒在了地上。

二十
水落石出

埃斯特本自从甩掉弗洛兰之后,就一个人往前走。这天晚上,他在丛林里的小径边歇宿。这条小径的旁边,有一条几乎干涸了的河,河底还有一些细细的水流。埃斯特本正渴得要命,见了这些水,简直高兴极了。

他现在的精神状态极度不正常,好像着了魔一样,仿佛以为自己真的成了人猿泰山,已经无所不能了。总算他走运,这段时间里没有饥饿的老鹰和豹子出来猎食,所以没遇到什么麻烦。他胆子也渐渐大起来,以前和弗洛兰一起走的时候,为了保险,宿营地周围还筑起防御工事,现在他甩掉了弗洛兰,只剩下自己一个人了,连防御工事也觉得没必要筑了,认为那是白费力气。他自己完全保护得了自己。

他喝足了水之后,点起了一堆火,预备把猎来的小野兽烤熟,美美地吃一顿晚餐。他消消停停吃饱了、喝足了,心情正感到惬意,忽然想起他那一袋宝贝钻石了,于是把袋子取出来,把钻石倒在手心里,摆弄着玩。他让这些钻石从左手溜到右手,再从右手溜到左手。钻石映着火光,闪烁着异样的光彩,连黑暗的林子,都染上了珠光宝气。他一边玩弄着钻石,一边沉湎到未来的幻想里:有了这一袋钻石,财富、权力、美女,他可以尽情地享受了。他半闭着眼睛,想着将来要走遍世界,寻访绝色的美人,和自己成就一对神仙眷属。心里想着这些,在他的幻觉中,仿佛真的出现了他心目中想找的那个婀娜美女。他似乎已经看见了这个美女,就站在熊熊的火光的另一边,而且还看见她穿着白纱衣裳,轻风吹拂着她的衣袖和裙裾,显出她修长的身材,亭亭玉立,飘飘欲仙。他开始以为只是自己的幻觉,可是后来他忽然觉得怎么越看越真切了,他把眼睛用力闭一下,再睁开看,那白衣女子真的还站在那里。他不由自主地有点恐惧了,那个美女实实在在地就站在小径旁的河岸上。

埃斯特本吓得脸色苍白地嘟囔起来:"上帝呀,这不是弗洛兰吗?我知道你一定死了,你是个是冤魂来纠缠我了。"

他站了起来,想看个仔细,谁知那个幻影竟开口说起话来:"我日夜思念的人啊,我就是来找你的,真的是你吗?"

埃斯特本听声音,知道这不是弗洛兰。这可把他弄糊涂了,她是谁呢?这么美丽的女子,怎么会流落到非洲的蛮荒之地来了呢?

那幻影竟慢慢向他走来,埃斯特本赶紧把钻石藏进内衣里去。

那美女张开双臂向他奔来,边跑边喊道:"泰山!泰山!这次你不能再装作不认识我了!"她走到埃斯特本的身边,他感觉到她娇喘吁吁,胸脯一起一落,心情非常激动。纱衣女子这种状态,使埃斯特本也身不由己地展开了双臂,向她走去,准备把她搂入怀中。

我们再回来说泰山,他循着那对男女的脚印,用最快的速度,在林中追赶着。他断定,那个女人走不快,他一定能赶上他们的。果然不出他所料,在追了一段路之后,他碰见了一个走得非常狼狈的女子。他走近她身边,拍了一下她的肩膀,这个女人吓得大喊道:"完了,这次我没命了。"

泰山说:"你不必害怕,我是不会伤害你的。"

她转过脸来看看他,以为这个人是埃斯特本,就说:"你是回来救我的吗?埃斯特本。"

泰山说:"什么埃斯特本?我不叫埃斯特本,这不是我的名字。"

弗洛兰忽然明白过来了,说:"啊,你是格雷斯托克爵士。果真是你吗?"

泰山说:"是的。那么,你是谁?"

她说:"我是弗洛兰,爵士,您认不出我了吗?我曾经给爵士夫人当过女仆,还在庄园上住过一段时间呢。"

泰山说:"是的,我记起你来了。但是,你到这里来做什么?"

弗洛兰这次不敢再扯谎了,说:"我不敢告诉你,我怕你会发怒。"

泰山说:"告诉我,弗洛兰,你是知道的,我从来不伤害妇女。"

弗洛兰说:"我们一起来的,一共有六个人,是来奥泊城偷黄金的。这些事,爵士你不是都知道了吗?"

泰山说:"我不知道。你是不是说,那些欧洲人,就是用麻药把我迷醉在你们营地里的那些人？难道，他们是你的同伙吗？"

她说："是的。我们已经偷到了黄金，不是你带着你的瓦齐里武士，把我们的黄金抢去了吗？"

泰山说："我什么时候带着瓦齐里人来抢过你们的东西？你的话我完全听不懂。"

弗洛兰至此才吃惊地睁大了眼睛，连声说："这就怪了！"她知道人猿泰山是从来不撒谎的。她说："我们手下的人叛变起来，我们几个人才走散了的。埃斯特本把我抢走了，后来一个俄国人，叫克赖斯基的，又找到了我们。克赖斯基带着一袋钻石，埃斯特本把他杀了，抢走了那袋钻石。"

泰山这时也好像明白了什么，脱口而出地问："那么，埃斯特本就是和你在一起的那个人？"

她说："是的。我脚磨破了，走不动，埃斯特本丢弃了我。他希望我死在这里，他带着钻石走了。"

泰山说："你跟我来，我们去找他！"

弗洛兰说："但我实在走不动了。"

泰山把弗洛兰背起来，在林中小径上快步走着，说："这里离小河很近，你现在需要多喝水，水能帮助你恢复体力。也许我能替你找些食物来。"

弗洛兰又惭愧又难过地说："爵士，你为什么待我这样宽厚？"

泰山说："因为你是个女人。我不能让你独自死在丛林里，不管你做了什么错事，你罪不致死。"弗洛兰听了泰山这话，良心发现了，哭着请求泰山原谅她。

后来，天色完全黑了，泰山背着弗洛兰还在寂静的林中走动，忽然，泰山瞥见前面有一点火光，他便低声对弗洛兰说："我想，我们快要找到你的朋友了。你先不要出声。"

又往前走了一会儿，泰山听到有谈话声了，就把弗洛兰从背上放下来说："如果你不能跟着我走，你就在这儿等着。我不愿意我要找的人溜走了，所以要快一点追过去，等办完了事，我回来找你。假如你能慢慢跟上来，就跟着我走吧。"说完，他就朝有火光的地方跑去了。他听出了弗洛兰在他后面跟来了，她似乎是没有胆量一个人留在丛林里。泰山在奔跑中，听出自己的右边有声音，他就低声叫了一句："扎得巴尔查，快来！"那金毛狮子就跑近了泰山的身边，弗洛兰猛然吓了一大跳，金毛狮子像跟她闹着玩一样，扑到她身旁，用前爪轻轻抓了一下她的胳膊，她不觉脱口叫了一声："哎哟！"

泰山低声对她说："别嚷！这狮子没有我的命令是不会伤害你的。"

他们三个沿着小河岸边走着，从丰盛的草里向前望去。

泰山逐渐能看清了，有一个白人大汉，打扮得和自己一样，站在火堆前面。同时还看见一个白种妇女，穿着白色的纱衣，伸开双臂，向那男人走去。他听到了她的声音，这声音是充满感情的，他还闻到了一股幽香，这幽香是他那么熟悉的。这时，泰山心里涌起了十分复杂的情感波澜：焦急、惊喜、愤怒，爱与憎在交织着，总之，他自己也说不清是一种什么滋味。

泰山眼看着白大汉好像就要去搂抱那个妇女了，他飞快地拨开草丛，奔了上去，立在河岸边，喊出了一声震动丛林的声音：

"琴恩！"

这一声叫喊,惊动了那边的男女两个人,都一齐转过身来看泰山。埃斯特本马上明白自己遇上谁了,他像只兔子一样,连窜带跑地向丛林里逃去了,泰山从小河里跳过来,向穿白纱衣的女子走去。

泰山叫道:"琴恩,是你吗?你怎么会在这里?"

琴恩现出迷惘不解的样子,她看了看那个逃走了的男子,又看看泰山。刚才要搂抱她的那个人,已经逃得无影无踪了,她走近泰山身边。

她叫道:"天哪,这到底是怎么回事?你是谁?如果你是泰山,那么刚才那个人又是谁?"

泰山叫道:"我是泰山,琴恩。"

她向泰山身后一看,见弗洛兰向这边走来了。她说:"我知道了,你是泰山。那天晚上在营地里,我看着你扛上弗洛兰,跑入丛林的。但是我不明白,泰山,不论你脑部受了多重的伤,你怎么做得出这样的事呢?你总不会把弗洛兰误认成我吧?况且,当时我就在另一棵树边,我还是喊了你的呀!"

泰山非常奇怪地问:"我什么时候扛着弗洛兰跑进丛林了?"

琴恩说:"这是我亲眼看见的呀!"

泰山转身问弗洛兰:"我不知道这件事,你能说清楚吗?"

弗洛兰说:"把我扛走的那个人,不是爵士,是埃斯特本。夫人,刚才也是埃斯特本在愚弄你,这位才是真的爵士呢。埃斯特本一路上一直冒充爵士,为的是在非洲容易通行。他最后丢下了我,希望我死在丛林里。假如我没碰上爵士,说不定已经没命了。"

琴恩这才恍然大悟,靠近泰山说:"啊,泰山,这就对了,我知道你是不会做这种事的。我刚才也差一点被那个坏家伙弄迷惑了。快些,去捉住他,别让这个骗子逃跑了。"

泰山说:"任凭他去吧!虽然我也想向他讨回他偷去的东西,但是琴恩,我不能再丢你一个人在丛林里,对我来说,你比什么都珍贵。"

琴恩问:"咱们的扎得巴尔查呢?"

泰山忽然记起来了说:"对了,你不提我倒把它忘了。"他随即向埃斯特本跑的方向一指说,"去捉回他来,扎得巴尔查!"金毛狮子得到泰山的命令,像一支飞出去的箭一样,去追埃斯特本了。

弗洛兰问:"狮子会杀死他吗?"她心里很希望埃斯特本死于狮子之口,因为丧心病狂的埃斯特本,应该得到这种报应。

泰山顺口回答说:"不,它不会杀死他的。顶多它会咬他一口,把他活捉回来给我。"

此时泰山似乎并不十分留意埃斯特本的死活,他在想着另外的事,他转身问琴恩:"琴恩!有些事我也弄不明白,请你告诉我,乌色拉明明告诉我,你遇害了,还说他们把你烧焦的骨灰埋在阿拉伯村子里了。怎么你又好好地活着在这里呢?我正在找陆美尼为你报仇,可是我始终也没找到他。"

琴恩说:"你再也找不到他了,他已经死了。但是我不明白,乌色拉为什么告诉你他们埋了我的骨灰呢?他们怎么断定是我呢?"

泰山说:"乌色拉他们抓到了几个俘虏,都异口同声地这样说。俘虏们告诉乌色拉,说陆美尼把你关在阿拉伯村子里的一间茅屋里,还牢牢地绑在柱子上,后来村子被火烧了。乌色拉带着瓦齐里人去找你,那些俘虏还把地点指给他们看,他们就在那根木柱子旁边,找到了你的尸骨。"

琴恩说:"噢!这次我明白了!陆美尼原先确实把我绑在木柱子上了,后来,在着火之前,他来了,把我解开了,想作践我,我们厮打过一阵。正在这时候,村里着起火来了,在陆美尼一发愣的时候,我抢到了陆美尼的腰刀,把他刺死了。这时,这间茅屋的背后已经起火了。在两个人厮打中,我的衣服几乎都被撕破了,回头看见阿拉伯人在墙上挂着的一件白纱衫,就顺手拿来穿在身上了。这时全村已经火舌飞卷了,我急忙往村外跑。所有的土著人早已经跑光了。我看见有一部分木栅栏还没烧完,我就跳过木栅栏,向丛林里跑去。我不敢从村门上走,怕遇到敌人再把我逮住。正因为这样,簇拥在村口的人们,谁也不会看见我。我逃出来之后,一边要注意躲着敌人,一边留心找我带出来的瓦齐里人。后来天黑了,我就躲在树上,离这里大约有半里路,看见火光,想到一定有人,所以才跑过来的。从老远望见,我真以为逃跑的那个家伙是泰山呢。"

泰山说:"这样说来,那具烧焦的尸骨,就是陆美尼了,瓦齐里人把他误认成了你。"

这时弗洛兰猛然抬起头来,像忽然醒悟了一样,大声说:"那么,率领瓦齐里人来偷我们黄金的泰山,一定也是埃斯特本!他骗了我们,也骗了瓦齐里人。"

琴恩说："他把我都能骗得过去,还有谁不可能上他的当呢?我本来是应该识破他的,一来是因为有火光晃着,二来是我想见到爵士的心太切了,所以被他骗过了。"

泰山想了想,沉吟着说："不对呀,他骗过了你,因为是在黑夜,情有可原。我不明白,他怎么能在白天骗得过乌色拉呢?有很多关于我的事,埃斯特本并不知道,怎么能不露马脚呢?"

琴恩说："我想起来了,乌色拉曾经对我说过,那个泰山曾经告诉他,他的头部曾被一株倒下来的大树砸伤过,因而又失去了部分记忆。他一定是用这套假话,把破绽掩盖过去的。"

泰山听到这儿,笑了说："这个魔鬼倒还真是诡计多端。"

弗洛兰说："不错,他确实是个魔鬼。"

大约过了半小时,扎得巴尔查叼着一块血淋淋的豹皮,从草丛中钻出来了,把豹皮放在了泰山的脚边。

泰山拿起来看了看,皱着眉说："这么多血,莫非扎得巴尔查把他杀了?"

琴恩说："他有枪,大概他对狮子进行了抵抗,狮子为了自卫,只好把他咬死了。"

弗洛兰问："埃斯特本被狮子吃了吗?"她吓得战战兢兢,离扎得巴尔查远远的。

泰山说："不会,从时间上算起来,狮子没有工夫去吃他。明天早晨,我们可以去找到他的尸体,我还要找回我那袋钻石呢。"接着,他把那袋钻石是怎么来的,原原本本地告诉了琴恩。

第二天早晨,他们去找埃斯特本的尸体。顺着足迹,一直找到河流的尽头,走出了好几里路,连埃斯特本的影子也没找见。

只在沿河一带的草丛里,看见了斑斑血迹。

最后,泰山只好回到了琴恩的身边说:"这也是他冒充泰山应得的下场。"

琴恩问:"你认为他死了吗?"

泰山说:"我估计他没命了。从血迹来看,狮子咬伤了他,被他挣脱了,可能跳到河里逃命去了。河里有鳄鱼,他多半被鳄鱼吃了。"

弗洛兰说:"他虽然是个坏家伙,但这样死,也死得够惨的。"

泰山摇摇头说:"这种人是不值得怜悯的,他自作自受。像他这样的人,少一个总比多一个好。"

弗洛兰说:"说起来,这里面也有我的罪过,没有我,他也不会跑到这里来。都是我出主意,要去偷奥泊城的黄金,也是我想到要找一个假扮爵士的人。死了这么多人,都是由我一个人身上起的,甚至连爵士和夫人也几乎遭了不测,说起来,这些罪过都在我身上,我觉得真是无法做人了。"

琴恩把手放在弗洛兰的肩上说:"看起来,世界上有很多罪恶,都由贪心所起。有不少人,常常因为一时之误铸成了大错。这次你也是这样,不过,我还是可以宽恕你,因为我相信,你已经从这些天的事里吸取到教训了。"

泰山也说:"你因为最初的一念之差,已经付出了很沉重的代价了,苦头也算吃够了吧。现在,我们把你送到你的朋友们那儿去吧。我已经为他们安排好了,有人护送着他们,正往西海岸走。看他们的样子,都是经不起长途跋涉的,我估计他们还不会走出多远去呢。"

弗洛兰听了这话,跪在地上说:"我真是没法报答爵士和夫人对我的大恩。我情愿跟着爵士和夫人留在非洲,像从前一样,为夫人服务,也以此来赎我的罪过。"

泰山犹豫地看着琴恩,琴恩似乎愿意接受弗洛兰的请求。

泰山说:"那好吧,你就和我们住在一起吧,弗洛兰。"

弗洛兰十分感激地说:"我情愿为爵士和夫人工作,不管多苦多累的活儿,我都心甘情愿。"

于是他们三个人,加上扎得巴尔查,走上了往庄园去的归途,一直走了三天。泰山突然站住了,嗅了嗅前边的空气,笑着对琴恩说:"我们的瓦齐里人,真不听我的吩咐,我让他们回家去,他们却朝咱们这边走来了。"

果然,不一会儿的工夫,他们就和瓦齐里人面对面地碰到了。黑武士们见主人和夫人都好端端的,高兴得手舞足蹈起来。泰山问他们说:"告诉我,你们把那几个欧洲人的黄金,埋在什么地方了?"

乌色拉不解地说:"宛那,你不是知道吗?仍旧埋在你告诉我的地方呀。"

泰山说:"我怎么会知道?乌色拉,以前你碰见的是一个假扮我的坏人。他冒充得非常像,连夫人都让他哄骗了。"

乌色拉说:"不是你告诉我们,你头部受了伤,忘记了瓦齐里土语的吗?"

泰山说:"那个不是我。我的头并没有受伤,你看,我不是照旧会说瓦齐里土语吗?"

乌色拉想了想,忽然叫起来:"不错,他确实不大像宛那,他见了犀牛都吓得逃跑呢！"

泰山忍不住大笑说："他怕犀牛吗？"

瓦齐里人既然明白了其中的原委，就领着泰山到埋黄金的地方去。

瓦齐里人为夫人和弗洛兰绑了两副担架，倒也舒适。琴恩不大愿意坐担架，还是自己步行的时候多。弗洛兰因为脚上有伤，行走不便，反而会耽搁大家时间，就由瓦齐里人抬着她，穿过丛林往前走。

这支队伍，高高兴兴地往前走着，不久就走到了河边埋黄金的地方。瓦齐里武士急忙动手挖，一边挖一边还唱着歌。挖了好一会儿，他们不再唱了，越来越感到失望了。泰山默默地看着，微笑说："你们埋得太深了。"

乌色拉等一群人搔搔头皮说："不对，宛那，当初我们埋的时候没有这么深，按理早该看见黄金了。"

泰山问："你们确实是埋在这个地方的吗？"

瓦齐里人回答："宛那，不会错的，除非有人又把它们挪过地方了。"

泰山说："一定是那个西班牙人又来过了，这个老滑头。"

乌色拉说："那么一大堆黄金，他一个人是绝对搬不了的，这里埋着不少金砖呢。"

瓦齐里武士们和泰山，在附近又仔细搜查了一遍。但是奥瓦扎的技术高明，把黄金挪了一个地方，一点痕迹也没露出来，甚至连泰山尖锐的眼光都瞒过了。

泰山说："看来是他们挪了地方，但是我敢断定，黄金绝没搬出非洲。"泰山于是便派人去通知属地内各村庄的村长,如果有什么人带着金砖,从他们那儿经过,别让他们跑了。使者走后,泰山说:"这样就可以截住他们了。"

这一晚上,他们在路边,安排好营地宿夜。三个白人,围坐在火堆边,金毛狮子躺在泰山的身后。泰山闲着没事,就把扎得巴尔查从埃斯特本那儿扯来的一块豹皮,拿出来仔细观察,他转身对琴恩说:"你以前说得不错,奥泊城的黄金不是我的,这次我不但失去了黄金,还丢失了一袋价值连城的钻石。"

琴恩轻声慢慢地说:"让黄金和钻石都失去吧,泰山!我只要有你、有我、有我们的杰克。"

泰山说:"现在我们手里还有一张带血的豹皮,我看这上面用血画了一幅奇奇怪怪的地图!"

扎得巴尔查过来闻了闻那张带血的豹皮,用舌头舔了舔嘴唇,不知它在想什么。

二十一
假泰山的命运

　　埃斯特本冷不防看到真泰山来了,这一吓,他倒完全清醒了,知道自己不是泰山的对手,赶快转身逃入了丛林。他的心,吓得简直缩紧了。他在逃命的时候,跑得很快,根本没有工夫辨别方向,也来不及考虑该往哪儿跑。当时,他脑子里只有一个想法,那就是逃得离泰山越远越好,所以见路就跑,顾不得路边有荆棘和其他带刺的植物,这些植物把他挂得皮破血流,他什么也顾不得,只顾逃命,当时也不觉得疼。凡是他跑过的地方,都留下了斑斑血迹。

　　他跑到河边,那里荆棘更多了,把他身上的豹皮也刮得七零八落了,他正把豹皮扯下来,想怎么整理一下,忽然听到背后有声音,回头一看,原来是一头金毛狮子追来了。埃斯特本吓坏了,大叫一声,扔掉了豹皮,就跳进了河里。这条河里是有水的,马上淹没了他的头顶。扎得巴尔查跑到河边一看,以为它追的那个人跳进河里淹死了,于是叼起豹皮,转身就回去了。其实,埃斯特本倒是个游泳的能手,他憋了一口气,在河底潜游了一段路,等他再冒出水面时,狮子已经走了,他慢慢地游到了河对岸。

　　金毛狮子望望河面,然后回头闻了闻那块豹皮,它叼起来用力一扯,扯下来了大半块,就叼到主人跟前去了。

埃斯特本游出了一段路之后,把头露出水面透一口气,他正好碰到了一些树枝上,才看清有一株倒下来的树,正浮在水面上。这对他倒是个救星,他于是费了很大劲爬到树干上去,不费力地向下游漂去。

他坐到树身上之后,长嘘了一口气,知道自己已逃过泰山的追赶了,这时他才有工夫检查自己身上,他很心疼那张豹皮丢了,因为那上面有到埋黄金地点去的地图,现在可再也找不回来了。他很痛惜那些黄金,自己费了很大心血,到头来还是不翼而飞了。好在自己身边还有一袋钻石,是比黄金更大的一笔财产,可以聊以自慰。想到这里,他摸摸内衣袋里的那包钻石,幸好还在。尽管如此,他心里对于白白失去的黄金,还是丢不下撂不下。

他坐在树身上,自言自语地说:"一定是被奥瓦扎那个贼骨头偷了去了,我根本就不相信那条黑狗,当他和我分手的时候,我已经猜着他肚子里怀着鬼胎了。"

整整一夜,埃斯特本坐在树身上,顺水向下游漂去,他漫无目的,只好听天由命。等到天将亮的时候,他看了看河的两岸,河边上是土著人住的村落。

这里住着的,就是吃人部落阿贝贝村。村子里的妇女,见一个白人大汉坐在树身上,漂流而来,就都叫喊起来,她们的喊声,惊动了全村人,都好奇地赶出来看热闹。

有一个黑人说:"这一定是一个奇怪的神明。"

巫师说:"他不是什么神明,我断定他是个水鬼。我曾经认识这个水鬼的,我能够驱使他为咱们村服务。现在我可以告诉大家,如果你们每人捉到十条鱼,肯送给我一条的话,我保证让这个水鬼施法,使大家捉到更多的鱼。"

村长阿贝贝说:"这不是个水鬼。"转身又对巫师说,"你上了年纪,你的巫术显然已经不行了,你竟把我阿贝贝最大的仇人当作了水鬼。他分明是人猿泰山啊!我阿贝贝可是认识他的。"其实,这一带吃人部落的村长都认识人猿泰山,都对他又恨又怕,因为泰山常和他们的吃人行为作对。

阿贝贝说:"没错,这是人猿泰山。看他的神情,他正在害怕。也许现在正是我们捉住他的好机会。"

一群黑武士,听了村长的话,就在岸上,跟着漂浮的树身后面,向河的下游跑去。到了河流一个转弯的地方,埃斯特本坐的那株树,正好遇到了水的一个漩涡,树身一转,就向岸边浮过去了。埃斯特本正愁无计可施,抓住这个机会跳到岸上去了。但完全出乎他意料之外,就在他身边丰茂的草丛中,埋伏着五十多个吃人的黑武士。

埃斯特本上岸之后,还没有发现有什么危险,就倚在一株树上,休息了一会儿。不由得又去摸摸那袋钻石,还在身边。他非常高兴地自言自语说:"嘿,看起来我的运气还是挺好的呀。"谁知,这句话还没说完,藏在草丛里的五十多个黑武士,一齐向他扑了上来。埃斯特本受到这猝不及防的袭击,连抵抗都来不及,只觉得一阵昏晕,就倒在地上了,等到他恢复知觉时,他已被捆绑住了。

村长阿贝贝站在他面前说:"泰山,你到底被我捉住了。"但是埃斯特本听不懂他的话,他对阿贝贝说了几句英语,阿贝贝也没听懂。

只有一点埃斯特本是清楚的,那就是自己已经做了俘虏,而且被人朝非洲的内地抬去。到了阿贝贝村里,凡是留在村里的妇女和孩子都嘲弄他。只有那个巫师摇摇头,在那里板起面孔咒骂:"你们把水鬼捉了来,我们大家就都没有鱼吃了;而且阿贝贝村的人还要生病,会一批接一批地死去,像瘟鸡一样。"但阿贝贝听了这话,只对他笑笑,因为阿贝贝年纪也不小了,见多识广,不大盲从迷信的说法。

巫师说:"阿贝贝!你别发笑,到最后你会笑不出来的,不信,你等着瞧好了!"

阿贝贝说:"等我亲手杀死了人猿泰山,我当然会笑的,然后,我和我的武士们吃了他的心和肉,我们就不用再怕什么水鬼不水鬼了。"

巫师发怒地喊道:"你且慢说大话,你可要考虑后果!"

他们把埃斯特本绑好,关在一间肮脏的茅屋里。埃斯特本通过屋子的门口,看见村里的妇女们在准备做饭,有人在点火,有人往锅里放水,七手八脚地忙个不停。埃斯特本吓得浑身冒着冷汗,他见村里的人,不时地朝他屋里看看,同时还不停地挤眉弄眼,他已预感自己是死定了。

到了下午,埃斯特本越来越觉得自己的生命,像风里的一支蜡烛,没有多少时候就要完了。这时候,村里忽然传来一阵惊慌的喊叫声,全村立刻骚乱起来,许多人都向村子的一边跑去。后来才知道,有一个妇女到河边取水,被鳄鱼叼去了,大家没法救她,只好在一边看着。

这时,那个巫师说:"怎么样,阿贝贝。我是怎么跟你说的?你还不信,看见了吧?水鬼已经在向村里的人报仇了。"

村民们素来很重迷信,他们心里发毛,不觉倾向到巫师一边,用疑问的目光看着村长,阿贝贝大怒地咆哮道:"他是人猿泰山!"

巫师也在坚持着自己的意见:"他是一个水鬼,外表变化成人猿泰山的样子。"

阿贝贝说:"你不用嘴硬,让咱们来打个赌看,如果他是水鬼,即使被捆绑着,他也有办法逃走;如果他逃不脱,他就是人猿泰山无疑了。如果他是水鬼,他不会像普通人一样死去,他会永生。假如他是人猿泰山,他就会像常人一样地死亡。我们不妨暂且关着他,然后看他到底是水鬼,还是人猿泰山。"

巫师问:"我们怎么观察?怎么判断?"

阿贝贝回答说:"这还不简单吗?假如有一天早晨,他忽然不知去向了,那就证明他是水鬼,只要他在我们村里没有受到伤害,他是不会向我们复仇的;如果他长时期逃跑不了,那么就可以断定他是人猿泰山。这个判断法不是很清楚、很合理吗?"

巫师摇着他头发蓬乱的头问:"如果他真逃跑了呢?"

阿贝贝十分肯定地说:"那就证明你的话是对的,他的确是个水鬼。"

阿贝贝说完就走出去了,吩咐村里的一个妇女,给埃斯特本去送食物。那巫师没有走,他还站在原地没动,搔着头皮,沉思着。

这样一来,假扮泰山的埃斯特本就被牢牢地监禁在吃人部落阿贝贝村里了。

埃斯特本被监禁起来了,那么他的同谋犯奥瓦扎在做什么呢?当泰山带着瓦齐里武士来挖黄金,没有挖到,空手而回的时候,奥瓦扎正在河对面,窥视到了这件事的整个过程。他心里暗暗得意自己的神机妙算。第二天早晨,他就从附近的村子里,雇了五十个脚夫,把黄金挖起来,往西海岸进发。

那天晚上,奥瓦扎率领的五十个黑人,在一个小村子的外面,扎营过夜。这个小村庄的武士不多,村长请奥瓦扎去吃酒闲聊。村子里的居民,也邀请奥瓦扎手下的人进村子去吃东西、休息。闲谈中就问起奥瓦扎雇他们去干什么,于是关于黄金的秘密就泄露出去了,没用多长时间,这五十个脚夫搬运的是黄金这件事,很快就传遍了整个村子。

村长听了这个消息之后,心里就打起了自己的主意。他和奥瓦扎吃到酒酣耳热的时候,有意堆起一脸笑容,有意把谈话内容往黄金上引。

老村长说:"你带着这么一大批黄金,叫五十个人一直挑到西海岸去,可不是件容易的事呀。万一途中出点问题怎么办?出了问题,你的损失可不是小数啊。"

奥瓦扎说:"我还能有什么别的选择呢?我总不能在当地销售啊!再说,当地哪里有那么大的买主?"

老村长说:"如果你真想卖,我倒知道一个地方,只须走两天的路程,你就可以把它稳稳当当地卖掉了。"

奥瓦扎惊奇地问:"那是什么地方?据我所知,内地不会有这么大的主顾啊。"

老村长说:"我知道这里有一个白人,他买了黄金之后,只须给你开一张支票,你可以拿到海岸上去,兑换到全部黄金的价值。这不比你搬着黄金去西海岸省事多了吗?"

奥瓦扎听了之后问:"你说的白人是谁?他住在什么地方?"

老村长说:"他是我的一个朋友,如果你想见他,明天早晨我就可以陪你去。我替你着想,你还是把黄金搬到他那儿,换取一张支票好。"

奥瓦扎说:"若真能这么办也好,这样一来,我只需给脚夫们一点儿报酬就够了。"

当那些脚夫们听说,他们没有必要把黄金挑到西海岸去了,也非常高兴。虽说这样一来,报酬要少了些,可是,可以少受好多罪,他们内心也不愿意长途跋涉,远离家乡。他们听说往东北方向,只须再走两天路,自然十分高兴。奥瓦扎也觉得这样做十分合算,所以也很高兴。老村长把这件事说成了,心里也暗暗高兴,至于他高兴的真正原因,奥瓦扎自然是不知道的。

第二天他们就开始登程,走了将近两天,村长就打发自己的一个部下先去报信。他说:"你到我的朋友那里去,对他说,请他到这里来,以便带我们到他的村里去。"

这一队人,挑着黄金又慢慢走了几个小时,走出了树林,到了一片平原上,看到在前边不远的地方,有一队黑武士,向这里匆匆走来。奥瓦扎觉得情况不对,就站住了,问道:"他们是什么人?"

老村长说:"他们是我朋友的武士,我的朋友也在他们的队伍里,你没看见吗?"他边说边指了指正走在黑武士队伍前面的一个人。奥瓦扎看对面的黑武士都在挥舞着长矛,矛尖在日光下,闪闪发亮。

奥瓦扎至此,不免心慌意乱起来,说:"不对,看样子,他们是来打架的,不像是来买金子的。"

村长说:"是打架还是成交,结果如何,就全看你的了。"

奥瓦扎说:"我不明白你的意思。"

村长说:"你先别着急,等一会儿,我的朋友来了,你就一切都明白了。"

对面来的黑武士越走越近了,奥瓦扎看见走在最前面的,是一个魁梧的白人,猛一看,他以为是埃斯特本,就是用诡计甩开了自己的人。

他转身对村长说:"你出卖了我!"

老村长却十分镇定地说:"说什么出卖不出卖的话!不该是你的东西,你不要去拿就对了。"

奥瓦扎指着对面那个白人说:"这么说,黄金也不是他的,他也是偷来的呀!"

这时,泰山已走到他的面前,泰山并不理睬他,只对村长说:"你派的使者,已经送消息给我了,所以我带了部下的瓦齐里人,来看看我能为你做些什么。"

老村长笑了笑说:"四天之前,你派人通知过我,要我注意携带黄金走路的人,从那以后,我就开始注意了。隔了两天,果然来了这个人,他带着一群脚夫,挑着黄金要到西海岸去。我告诉他我有一个朋友要买黄金,给他开支票,条件只有一个:如果黄金真是属于他的。"

泰山也笑了,说:"我的朋友,这件事你办得很好。黄金本来不是属于奥瓦扎的。"

奥瓦扎一听,急了,嚷道:"黄金不属于我,难道就属于你吗?你不是人猿泰山,我认识你。你和四个欧洲人,还有一个女人,到泰山的辖区里来,偷了黄金,你又把黄金从你的伙伴那里偷走,你只是想自己独吞罢了,难道你能说黄金是你的?"

村长和瓦齐里武士都笑了,最后,泰山也庄重地笑起来。

泰山说:"你说的那个人,叫埃斯特本。奥瓦扎,你说对不对?他一直假扮成我的模样,招摇撞骗,前几天的一个晚上,被我撞见,他赶快逃跑了。我才是真的人猿泰山,谢谢你替我把金子运来。走吧,从这里到我的庄园,已经没有几里路了。"

泰山命令奥瓦扎带着脚夫,把黄金一直送到他的庄园上,泰山让脚夫们吃了饭,又给了他们赏钱,允许他们各自回家去。泰山也打发奥瓦扎和脚夫们一块儿走,但奥瓦扎却没有得到任何赏赐,更没有他梦想得到的支票,只接受了一个命令,那就是:今后永远不许再到泰山的辖区中来。

等这些人都走了之后,泰山、琴恩、杰克三个人站在屋子前的走廊上,扎得巴尔查躺在泰山的脚边。泰山把手放在琴恩肩上说:"过去我曾说过,奥泊城的金子不该是我的,现在这句话要取消了。你们看,这么多黄金,没让我费什么力气,就远远地从奥泊城给我送到家了。难道这不是上帝的意旨吗?"

琴恩也笑了说:"说不定后面还会有人来给你送钻石呢!"

泰山说:"钻石恐怕是没有希望了。据我推测,那袋钻石大概已经沉到乌戈戈河底了。"

在遥远的乌戈戈河岸上,吃人部落阿贝贝的村子里,埃斯特本躺在一间专门囚禁他的茅屋里,绝望地揣着一袋钻石,却一点用处也没有。因为阿贝贝村长十分顽固,他又和巫师打了赌,实际上等于判了埃斯特本终身监禁。